Marie France Martiroli

LES TROUBLES D'APPRENTISSAGE

GUIDE DE L'ÉDUCATEUR

FRANCES SCHONING

LES TROUBLES D'APPRENTISSAGE

GUIDE DE L'ÉDUCATEUR

1983
Presses de l'Université du Québec
C.P. 250, Sillery, Québec   G1T 2R1

Dépôt légal — 4e trimestre 1983
Bibliothèque nationale du Québec
Bibliothèque nationale du Canada
Imprimé au Canada

À Denis et Michel,
pour leur patience, leur compréhension
et leur coopération sans limites,
et à ma mère,
guide et exemple serein.

INTRODUCTION

L'« éducation spécialisée » occupe une place dont l'importance va sans cesse croissant dans le domaine de l'éducation. Plus on progresse dans ce secteur, plus il devient évident qu'il faut concevoir des programmes individualisés pour répondre aux différents besoins de cette clientèle diversifiée : celle de l'enfant souffrant de troubles d'apprentissage, multiples ou spécifiques.

Les conséquences d'un handicap d'apprentissage retiennent de plus en plus l'attention des chercheurs et des éducateurs, dans de multiples disciplines, et ce, d'autant plus qu'elles ont des implications sur la famille et sur la société tout entière.

Le but de cet ouvrage est donc de donner, sous une forme abrégée, une liste de suggestions que nous considérons comme base principale des techniques de rééducation.

La recherche dans ce domaine est encore très primaire, et les techniques ou programmes de rééducation devront être constamment révisés. Nous espérons que la simplicité de la présentation permettra la participation des parents tout autant que celle de toutes les personnes intéressées aux domaines des troubles d'apprentissage.

Les activités suggérées sont en grande partie fondées sur les théories de Kephart, Gibson, Maslow, Barsch, Frostig, Benton, Montessori, Piaget, Gesell, Bruner, Johnson, Myklebust, Bender, Hebb, Cruikshank, Bettelheim, Redl, Kirk, Luria, Chomsky, Orton, Strauss, Vygotsky, Ajuriaguerra, Dunn, Rabinovitch, etc. Cet ouvrage n'étant pas une présentation théorique, aucune indication précise des sources utilisées n'apparaît dans le texte. Mais une bibliographie générale est fournie à la fin de chaque chapitre.

Il est évident que ces approches font l'objet de bien des controverses, mais il existe cependant des recherches qui viennent appuyer en partie la validité des concepts sur lesquels ces approches se sont fondées, et il reste à en analyser les effets à long terme.

Actuellement, l'enfant se développe dans un monde qui exige une organisation neurologique de la plus haute qualité. Tout d'abord, il doit posséder un organisme qui puisse gérer convenablement le développement des composantes d'un système très spécialisé, et être placé dans un environnement social et physique tel que ce système puisse se raffiner de plus en plus. L'interaction continuelle de ces deux éléments (organisme et environnement) opère comme un tout, et agit sur un système complet soumis à des lois générales. Cependant, de par la définition même de ce processus dynamique, il est exigé de l'organisme une adaptation constante à de nouvelles situations, et c'est à ce niveau que très souvent un déséquilibre temporaire ou permanent apparaît.

Afin de pouvoir saisir l'ensemble de ces processus complexes, à multiples facettes, nous devons étudier, séparément, chaque élément sans cesser de le considérer comme partie d'un tout. C'est seulement de cette façon que nous arriverons à définir un certain modèle d'évaluation. Il est entendu que nous gardons à l'esprit qu'il s'agit d'un système complet, et que l'activité d'un sous-système engendre la participation des autres dans une sorte de configuration électronique. Par exemple, pendant que les mains de l'enfant explorent un objet, ses yeux suivent simultanément le travail et le mouvement des mains sur la surface de l'objet; de même, les variations des mains, de type kinesthésique tactile, produites par leur mouvement sont enregistrées par le système. Il existe alors une forme de parité entre la kinesthésie tactile et l'*input* visuel par un processus de communication interne ou de circuits d'intégration. Cependant ce processus ne s'arrête pas à une seule modalité; il continue à accumuler de nouvelles données que le cerveau enregistre et qu'il serait évidemment trop long de définir techniquement dans le contexte de ce livre et, a fortiori, de cette introduction. Nous désirons simplement que l'éducateur demeure toujours conscient de l'immensité des processus d'intégration ainsi que de leurs multimodalités.

Il est généralement accepté que l'élève qui souffre d'un développement déficient ou déficitaire, marqué de retards, de carences ou de négligences dans l'une ou l'autre des habiletés motrices essentielles de base, ne peut profiter adéquatement des programmes et matières tels qu'ils sont conçus, actuellement, dans le secteur public.

Puisque, globalement, le développement d'habiletés spécifiques ou générales en milieu scolaire s'effectue à partir des habiletés sensori-motrices, toute malformation de l'organisme ou encore des pressions émotionnelles qui dépasseraient les forces de l'enfant mettent en danger les processus normaux d'apprentissage. Les signes évidents de ces interférences se manifestent par des troubles spécifiques à différentes étapes, et causent principalement des problèmes sur le plan de la lecture, de l'écriture, des mathématiques et, enfin, de toute matière dite scolaire, primaire ou secondaire.

Dès le début, les professeurs et les parents doivent être bien conscients que l'on n'apprend rien à l'enfant. Il doit simplement être placé « en situation », c'est-à-dire dans des conditions favorables à son apprentissage. Il pourra alors faire ses propres comparaisons entre les informations déjà assimilées et les nouvelles, pour arriver à les appliquer à des actions ou expériences vécues.

L'enfant est un tout qui répond, interprète et agit par performance, par l'intermédiaire de tout son système sensorimoteur, lorsqu'on lui en donne la chance. C'est donc à la société de lui fournir un programme qui offre de façon maximale des possibilités d'apprentissage.

Dans cette optique, le manuel, destiné à être l'assistant discret du professeur dans sa tâche journalière, particulièrement lourde et ingrate, s'est fixé les principaux objectifs suivants :

— développer des moyens d'identification et d'évaluation plus précis de la nature exacte des handicaps ;

— exposer des techniques individuelles et graduées qui serviront à améliorer le rendement, la performance de l'enfant, à partir de suggestions de techniques de base auxquelles le professeur devra ajouter sa touche personnelle, compte tenu non seulement de ses connaissances mais aussi de sa personnalité.

Cet ouvrage couvre sept thèmes précis, différents et différenciés de par la définition même de leur objectif. À ce propos, nous désirons mettre nos lecteurs en garde : il ne s'agira en aucun temps de répétition d'exercices mais bien d'exercices adaptés à l'objet même de chaque chapitre ; par exemple, les exercices de coordination œil-main sont très semblables à ceux de la coordination main-œil, sauf que les premiers concernent le domaine perceptivo-moteur visuel, tandis que les autres concernent le développement sensorimoteur.

Il est important de se rappeler que tout programme de rééducation doit suivre les étapes progressives de la courbe normale du développement. C'est la règle ultime de base qui guidera le professeur afin qu'il ne bouscule jamais l'apprentissage de l'enfant ou, pis encore, qu'il ne passe pas outre à l'un ou l'autre des stades du développement.

Il est évident qu'un manuel ne peut inclure tous les éléments nécessaires ou souhaitables. Le professeur devra faire appel à son esprit d'initiative et à son imagination créatrice pour compléter l'exposé plutôt succinct que nous présentons, pour faire le lien entre les qualités intégratrices de chacune des notions traitées.

Nous aimerions attirer l'attention sur la différence que présentent les deux premiers chapitres ; le premier traite de la motricité globale, et le professeur travaille avec l'enfant qu'il doit considérer comme un tout en mouvement, tandis que dans le second (intégration sensorimotrice), l'enfant est considéré comme un ensemble d'éléments distincts fonctionnant dans un tout.

Les exercices contenus dans ces sept chapitres constituent, à notre avis, la matière du programme quotidien, chacun d'eux requérant environ 30 minutes. Il est important de se rappeler que les exercices des deux premiers chapitres ne doivent jamais se succéder immédiatement.

Nos suggestions ont été sélectionnées pour renforcer les habiletés de l'enfant et développer les sensibilités spécifiques qui sont nécessaires à tout apprentissage, et chacune des sept divisions devrait être insérée à un moment donné du programme scolaire régulier, pendant une période d'au moins 20 à 30 minutes, tous les jours.

L'expérience éducative faisant partie de la routine quotidienne, il s'agira de la rendre agréable et de l'adapter au niveau des aptitudes de l'enfant (i.e. au niveau où l'enfant se sent lui-même le mieux en état de réussir). Il faut cependant ne pas perdre de vue la nécessité de suivre le processus d'apprentissage le plus important, c'est-à-dire le développement de l'acuité des systèmes de transmission primaire «visuel-auditif-sensoriel» (V-A-S), dont la première étape est celle de la réceptivité (input) d'une IMAGE (V-A-S) qui sera intégrée — selon le degré de maturation du cerveau — sous forme de SYMBOLE (étape de la symbolisation) pour en arriver progressivement à la CONCEPTUALISATION (output). Trop souvent le processus s'arrête à la difficulté d'intégration cérébrale ou d'une mauvaise réception, produisant un output relativement déficitaire.

Les exercices doivent toujours être exécutés dans une atmosphère détendue et gaie, qui entraînera la participation volontaire de l'enfant. L'éducateur devra se sensibiliser aux manifestations de fatigue, d'éparpillement de l'attention, de distraction, qui l'avertissent que c'est le moment d'arrêter. Il doit aussi, dans la mesure du possible, éviter toute situation de compétition, qui renforce trop souvent les effets négatifs au détriment des effets positifs.

Les exercices doivent être structurés afin d'éviter un laisser-aller qui pourrait annuler la coopération de l'enfant.

Cependant, l'éducateur devra souvent faire appel à la répétition ainsi qu'aux méthodes habituelles de renforcement positif qui ont pour but de modifier le comportement par des récompenses, sans toutefois rejeter pour autant les interventions d'ordre punitif.

De plus, avant d'entreprendre les activités ou exercices, et cela à chacun des niveaux, il est extrêmement important que l'éducateur prenne note de toutes les attitudes significatives pouvant déterminer, chez l'enfant, aussi bien les faiblesses que les possibilités relatives à chacun de ces niveaux. Nous n'insisterons jamais trop sur le fait que tout phénomène inquiétant doit être apporté à l'attention des spécialistes concernés.

Nous demeurons bien conscient que ce volume est un résumé extrêmement limité et nous apprécierons toutes suggestions et recom-

mandations pouvant contribuer à améliorer ou à modifier ces programmes. Étant donné qu'il n'existe encore aucune donnée statistique
sur la solidité des exercices suggérés, nous insistons pour que toutes les
personnes intéressées nous fassent part de leurs recommandations et
critiques ; et nous nous ferons un devoir de prendre en considération
les conseils susceptibles d'améliorer positivement cet exposé dans sa
facture présente.

En annexe, nous proposons quelques exemples de profils en
espérant que ceux-ci serviront à faciliter l'observation et l'évaluation
sur le plan de la formulation des programmes individuels pour chacun
des niveaux, et qu'ils sauront inviter au dialogue et aux échanges
d'idées, les équipes pluridisciplinaires du milieu scolaire.

CHAPITRE 1

MOTRICITÉ GLOBALE

Introduction

Le terme de « motricité » est très vaste et peut paraître quelque peu ambigu. Il sous-entend le mouvement, soit cette force universelle qui, depuis le début des temps, est considérée comme l'élément principal de toute vie. Nous ne comptons pas amorcer une discussion d'ordre philosophique, mais tenons simplement à faire une distinction (même si celle-ci n'est qu'artificielle) entre deux variables du comportement moteur humain. Au cours des dix dernières années, nous avons mieux pris conscience des bienfaits et de la nécessité de certains exercices de motricité. Le mouvement favorise la santé mentale, l'équilibre émotionnel qui tend à augmenter la capacité de rendement et à prolonger la vie. Il suffit d'observer les enfants au jeu surtout dans les parcs pour voir l'expression créatrice, la joie de vivre et l'assurance de soi qui caractérisent leur comportement.

En premier lieu, dans ce chapitre, la motricité est traitée d'un point de vue global, à savoir que l'enfant se déplace dans l'espace comme un tout moteur non spécifiquement différencié, et dans le second chapitre, nous envisageons ce même problème sur le plan de la différenciation sensorimotrice. Dans le premier chapitre, il est donc question d'une motricité plus grossière ou globale, tandis que dans le second, l'accent est porté sur un raffinement moteur plus particulier.

Les habiletés motrices dépendront surtout de la maturation corticale, du développement musculaire et de l'apprentissage. Le développement céphalo-caudal est un des premiers comportements observables chez l'enfant. Ce processus se déroule selon une séquence assez régulière en commençant par les membres supérieurs, en partant de la tête, puis les épaules et le tronc. Éventuellement les membres inférieurs (soit la région du pelvis et les jambes) viennent jouer un rôle aussi important. Le raffinement moteur se développera relativement en parallèle et selon une séquence différentielle d'ordre proximo-distal.

Compte tenu de tout cela, avant d'entreprendre les exercices de motricité avec l'enfant, il est extrêmement important de faire un examen minutieux du corps comme objet entier et composante de ces activités.

Le système neuro-moteur ainsi que l'enveloppe musculaire jouent ensemble un rôle primordial. Il est évident qu'un examen neurologique n'est pas toujours possible mais certains faits devraient attirer l'attention, comme la présence de syncinésies, ou de mouvements parasites ou imitatifs, ou de gaucherie, ou de tremblements des extrémités des membres, etc. Enfin, une difficulté de l'enfant à se servir de son corps en tant qu'entier.

Les systèmes musculaire et osseux répondent aussi facilement à la simple investigation, et ce chapitre débutera par l'exposition d'un certain nombre de faits à observer qui seront placés sous la rubrique « posture ».

L'objectif de cette première démarche sera de tracer ou définir le style moteur global de l'enfant.

Posture (observations)

Il existe une ligne verticale (imaginaire) centrale qui souligne la symétrie du corps (de face ou de dos); cette même ligne verticale centrale existe de profil. C'est en observant cette ligne imaginaire que l'on peut déterminer certains éléments anormaux dans la posture : la tête présente-t-elle une légère inclinaison d'un côté ou de l'autre? Penche-t-elle vers l'avant ou vers l'arrière? etc.

Les épaules ont-elles tendance à se courber vers l'avant? Sont-elles de la même hauteur?

Les bras sont-ils de la même longueur et tombent-ils le long du corps en formant à peu près le même angle au niveau du coude?

La colonne vertébrale est-elle droite? Entraîne-t-elle une déviation au niveau de la taille ou du bassin? Est-ce qu'il y a courbure latérale?

Le ventre et le bassin présentent-ils quelque aspect particulier (protubérance ou autre)?

Y a-t-il hyperextension au niveau des genoux ou au contraire hypotension? Est-ce que les genoux se plient plutôt vers l'avant? Est-ce que les deux jambes sont bien de la même longueur?

Remarque-t-on une hyperextension des jambes (cas des jambes dites arquées)? L'enfant doit être capable de garder ses jambes accolées l'une à l'autre et de joindre ses genoux dès qu'on le lui demande.

Noter s'il y a pronation des pieds (extension du pied ou des deux pieds vers l'extérieur (Charlie Chaplin) ou si au contraire les pieds (ou un pied) tournent vers l'intérieur (pigeon))? Est-ce que la voûte plantaire est plate, affaissée ou au contraire trop haute? On devra peut-être recommander le port de chaussures orthopédiques. Il est facile de voir, à la façon dont un enfant use ses souliers, s'il y a un défaut à corriger. Il est aussi important de noter s'il a tous ses orteils (l'amputation d'un seul orteil peut être cause de déséquilibre), ou encore la malformation devient une source de douleur rendant difficile certains exercices.

La taille et le poids sont des mesures bien relatives mais d'une importance non négligeable. Il est nécessaire de se référer à l'échelle établie d'après les normes nationales afin que les exercices suggérés soient conformes aux possibilités primaires de l'enfant.

La force musculaire (observations)

Déterminer en premier lieu le poids que l'enfant peut soulever avec ses deux bras et observer les différences entre le premier et le cinquième essai.

Reprendre cet exercice avec la main droite puis avec la main gauche (le bras le plus fort n'est pas nécessairement le bras dominant). Demander à l'enfant de pousser un objet quelconque. Prendre d'abord un objet qu'il sera capable de pousser et par la suite un objet qu'il aura beaucoup de difficulté à pousser. Il est nécessaire de bien noter les différentes façons dont il s'y prend dans les deux situations et de remarquer si la force est distribuée uniformément.

Reprendre le même genre d'exercice pour mesurer la force des jambes. Demander à l'enfant en station debout de pousser une boîte vide. Reprendre avec la jambe droite puis la gauche. Ajouter progressivement du poids dans la boîte et reprendre l'exercice. Répéter avec l'enfant couché sur le dos.

Image du corps humain

Dès l'apprentissage conceptuel, il existe chez l'enfant, une conscience d'un « moi » séparé, d'une entité; l'enfant est capable de s'identifier, de séparer ce qui est lui de ce qui ne l'est pas, ce qui vit de ce qui est inanimé. Qui es-tu? ...L'enfant est lui-même, avant d'être l'enfant de... ou l'ami(e) de... Il a la vie, tout comme ses parents, ses amis, ses animaux préférés ou les plantes. Il distingue son nom de son prénom, son père de ses oncles ou des autres hommes de son environnement; il sait qu'une photographie, sa réflexion dans un miroir ou dans l'eau claire du lac sont des « expressions », des « images » de lui-même à l'état statique ou représentatif de son dynamisme.

La découverte d'un soi physique est trop souvent négligée par l'éducateur qui prend pour acquis que l'enfant existe en tant qu'entité séparée. Cependant, on pourra noter chez certains enfants une difficulté de faire la distinction entre le moi et le non-moi, entre ce qui fait partie de lui et ce qui est à l'extérieur ou à l'autre. En suivant la courbe du développement, on notera que l'enfant découvrira en premier ses mains et les reconnaîtra en tant qu'objet différencié avec ses doigts, puis en tant qu'objet en mouvement. Petit à petit, il identifiera cet objet comme lui appartenant et faisant partie de lui. Éventuellement, il découvrira l'utilité de cet objet à savoir que ses mains lui permettent de toucher, prendre, manipuler, frapper, lancer, etc... Aussi et presque parallèlement, l'enfant découvrira ses pieds (avec ses orteils) et ses jambes. Il s'apercevra qu'il peut frapper, pousser avec ses pieds et que ses jambes se plient, lui permettent de se traîner à quatre pattes, de marcher, etc...

Éventuellement les parties de son corps ainsi identifiées se confondront dans l'ensemble total qui est son corps.

Identité

— Coucher l'enfant sur le dos et lui demander d'identifier les différentes parties de son corps (extérieur et intérieur), c'est-à-dire non seulement bras, jambes, mais aussi cœur, poumons, muscles, etc. On pourra utiliser un stéthoscope à cet effet.

— Même exercice, l'enfant couché sur le ventre, sur le côté, assis, debout, etc.

— Placer l'enfant devant un grand miroir et si possible un jeu de deux et même de trois miroirs. On lui demande alors de décrire ce qu'il voit. Il devra commencer par s'identifier (prénom et nom). Ensuite, tourner l'enfant dans plusieurs directions, pour qu'il se voit sous différents angles, on lui demande de se regarder et de dire : je suis X... (prénom). Combien y a-t-il de X... ? Varier les positions (debout, assis, accroupi) et introduire quelques éléments simples de mouvements. (Fig. 1.1)

On amènera ainsi l'enfant à se percevoir en tant qu'existant comme un tout, une entité composée de parties, lequel peut varier ou changer sa position ou sa place sans jamais influencer son identité totale.

— Même exercice avec 2 ou 3 enfants groupés et introduire différentes caractéristiques d'identification (i.e. blond, plus grand, etc.).

— On interpelle l'enfant par son prénom en lui demandant de remplir les exigences d'une consigne d'abord très simple, puis de plus en plus complexe. Ex. : « Denis, lève la main » — « assieds-toi sur la chaise », etc. Il est ensuite demandé à l'enfant d'exprimer verbalement ce qu'il a fait, pourquoi et

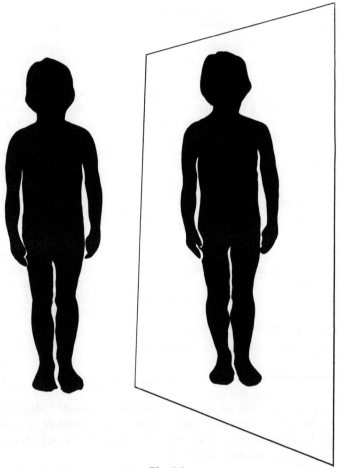

Fig. 1.1

comment. Exiger toujours une réponse précise et complète. On ajoutera progressivement des objets à l'environnement, et, par la suite, on demandera à l'enfant de décrire la toile de fond (i.e. tout ce qu'il voit dans le miroir).

Ces exercices doivent s'étendre à l'utilisation de photographies en noir et blanc puis en couleurs. Lorsque c'est possible, on se sert de diapositives ou encore mieux de bandes vidéoscopiques qui lui permettent de s'observer et de se décrire à l'état statique puis dynamique.

— L'enfant se couche par terre, et le professeur fait rouler vers lui une balle qui le touche à différentes parties du corps. Sans se regarder, l'enfant nomme la partie qui a été touchée.
— Reprendre l'exercice avec la balle suspendue au plafond. Demander à l'enfant de frapper la balle avec sa tête, ses épaules (droite et gauche alternativement), ses coudes (d. et g.), ses poignets (d. et g.), le dessus de ses mains (d. et g.), son estomac, son dos, ses cuisses (d. et g.), ses genoux (d. et g.), ses talons (d. et g.), etc.

Schéma spatial

Il sera nécessaire de s'assurer dès le début que parallèle à cette prise de conscience du corps, il y a aussi prise de conscience territoriale laquelle lui permettra de définir plus précisément l'espace qu'il occupe et permettra aussi à développer un monde spatial organisé, base fondamentale des processus de raisonnement et de solution de problème. Dans la réalité de l'enfant, très peu d'objets existent de façon isolée, mais font partie d'un plan ou d'un champ plus ou moins organisé par l'individu lui-même.

— Demander à l'enfant d'identifier les objets qu'il voit autour de lui.
— L'enfant identifiera alors l'importance qu'il accorde à chacun des objets.
— L'enfant trouvera les différents qualificatifs de l'objet (indices de base qui serviront par la suite, ou jugement de la distance).
— À partir de son propre corps, l'enfant déterminera la distance (loin — proche) de l'objet.
— Demander à l'enfant de verbaliser «comment faire pour rejoindre tel ou tel objet?» c'est-à-dire soit par extension de la main, soit par déplacement du corps.

Silhouette

Toujours dans le dessein d'amener l'enfant à définir son identité, les exercices sur la silhouette lui apprennent à délimiter son contour.

Matériel: un écran de toile ou de papier, une lampe (60 watts)
— Placer l'enfant derrière l'écran, et la lampe derrière l'enfant, à la hauteur de la tête. Grouper les enfants par deux: pendant que l'un d'eux se tient debout derrière l'écran, demander à l'autre de tracer, à la craie ou au crayon de cire, la silhouette de

son compagnon sur la toile ou le papier. Leur demander ensuite de compléter les dessins respectifs en coloriant en noir la silhouette. (Fig. 1.2).

La classe dessine la silhouette (de dos, de face et de côté) d'un camarade qui servira de modèle. Puis, cette fois, sans lampe ni écran, on demande à un enfant de tracer le profil de ses compagnons, et éventuellement le sien, en utilisant le jeu de plusieurs miroirs. Faire remarquer que la silhouette peut faire des mouvements et adopter des positions différentes.

Fig. 1.2

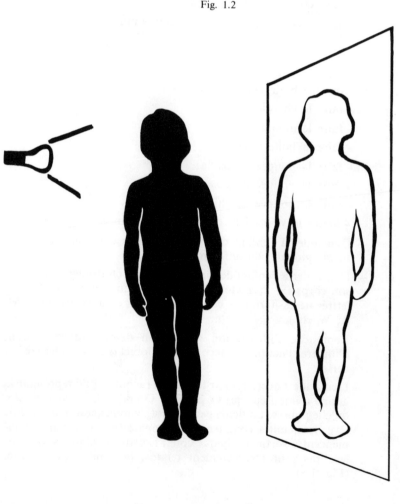

Jeux et activités diverses

— Avec le support de la chanson qui sert d'intermédiaire, on donne différentes consignes à l'enfant. « Mets ta main sur la tête — touche tes pieds (pas dans le sens latéral droite-gauche) — touche tes oreilles, etc. »

— L'enfant se met debout, puis s'étire et essaye de toucher le plafond.

— On suggère à l'enfant quelques mimes :

- secouer la tête comme une poule, comme un canard ;

- agiter les bras et les mains comme un oiseau, un papillon ;

- ruer comme un âne, un cheval, etc.

- se gratter comme un singe, sauter comme une grenouille, un lapin ;

- planer comme un avion ;

- sauter comme un kangourou, en portant sur le ventre un sac ou une boîte contenant un objet qui ne doit pas tomber ;

- faire le cheval de bois ;

- faire le moulin à vent ;

- faire la boîte à surprise ;

- faire la poupée de paille ;

- faire la poupée de bois ;

- faire la poupée de chiffon ;

- imiter le va-et-vient d'un pendule, d'un essuie-glace, etc.

— Demander à l'enfant d'illustrer avec son corps le contour (la forme globale) de différents objets.

— Demander à l'enfant de former différents chiffres et lettres avec son corps (S, P, T etc.). Il est à noter que certains chiffres et lettres nécessiteront le concours de deux enfants ensemble (M, A, W etc.).

— Reprendre l'illustration d'objet en demandant à l'enfant d'illustrer l'action qui accompagne l'objet (i.e. une cafetière qui verse).

— L'enfant est accroupi par terre. Lui raconter qu'il représente la graine d'une fleur qui va pousser. On doit alors l'arroser afin qu'elle pousse. La fleur, petit à petit, commence à pousser. Elle lève, les feuilles commencent à apparaître. (Les mains commencent à sortir de chaque côté.) Lorsque l'enfant est debout, les bras sont complètement tendus, la fleur vient d'éclore. (Fig. 1.3).

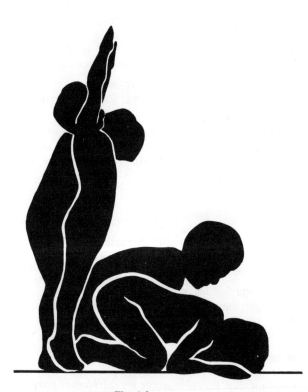

Fig. 1.3

— On cache l'enfant sous un drap. L'enfant doit montrer à travers le drap une partie de son corps (le pied, le coude, la tête, etc.). Les autres enfants doivent identifier cette partie.

En se servant des techniques fondamentales de la relaxation passive ou de celles du « training autogène » de Shultz, montrer à l'enfant comment prendre conscience des parties visibles et invisibles de son corps (cœur, poumons, ongles, langue, sourcils, etc.).

— L'enfant se couche sur une très grande feuille de papier pendant qu'un autre enfant trace le contour de son corps. On intervertit ensuite les rôles. Ces tracés sont coloriés ou peints, puis découpés pour en faire une peinture murale. Les membres peuvent aussi être découpés puis rattachés au corps avec des agrafes ou des épingles. L'enfant prend conscience du mouvement.

— Discuter avec l'enfant de certaines caractéristiques humaines particulières, telles que l'âge, le poids, la race, etc. Laisser l'enfant exprimer ses propres idées, ses sentiments, etc. Plus tard, ces activités lui permettront de répondre à des questions telles que « qui suis-je ? », « que ferai-je plus tard ? » (lorsque je serai plus vieux), « qui sont mes héros ? ».

— Demander à l'enfant de faire le plan de sa maison et d'y indiquer les différentes pièces, l'ameublement. Dialoguer et enregistrer.

— L'enfant dessine son portrait, celui des membres de sa famille, de ses amis, de ses animaux favoris. Par la suite, demander à l'enfant de décrire son dessin ; on l'enregistre, puis on lui fait écouter l'enregistrement.

Casse-tête

— L'enfant doit être capable de rassembler rapidement les pièces d'un puzzle (casse-tête chinois) représentant un garçon ou une fille, un visage ou un profil.

— Même exercice les yeux bandés.
Découper dans des magazines, des photographies que l'enfant devra couper en morceaux, puis rassembler et ensuite coller.

Jeux avec une poupée

L'enfant doit pouvoir situer les différentes parties du corps de la poupée. Laisser libre cours à l'expression créatrice des enfants. On conseille de se servir de poupées représentant une fille et un garçon, telles « Barbie » et « Ken » et autres.

Déplacement

Par déplacement, nous entendons : travailler les mouvements globaux primaires dans l'espace relativement restreint.

On suivra la courbe normale de progression des déplacements : glisser, rouler, s'asseoir, marcher à quatre pattes, se tenir debout, marcher, courir et sauter.

Tenant compte du fait que l'être humain est bilatéral et que chaque côté du corps est associé à un hémisphère cérébral et sous le contrôle de celui-ci, il est possible que l'enfant manifeste deux systèmes de mouvements. On doit alors amener l'enfant à réaliser que les mouvements de chaque côté de son corps sont synchronisés, qu'il est capable de mouvements globaux tout autant que de mouvements différenciés.

Mouvements de base

— L'enfant est couché à même le plancher, sur le ventre. Il lève la tête et doit fixer un point. Il tend alors les deux bras vers ce point, jusqu'à ce qu'il le touche. L'enfant doit tirer les deux côtés de son corps de façon parallèle (mains, bras et dans une même droite) et perpendiculaire aux épaules. Cette activité permet une certaine différenciation du haut et du bas du corps, puisque les jambes ne font que suivre en glissant sur le plancher. (Fig. 1.4).

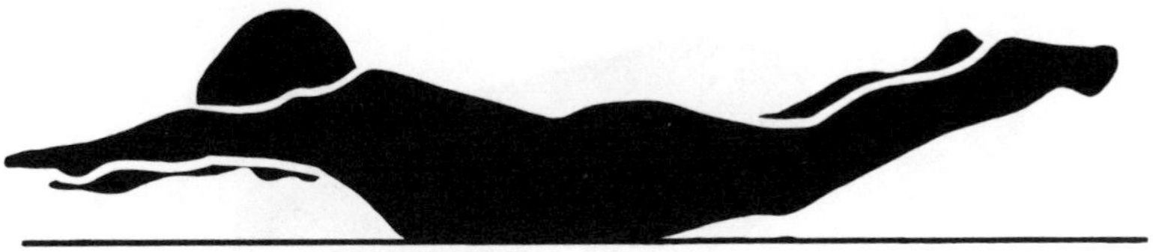

Fig. 1.4

— Reprendre l'exercice avec les jambes.
  – L'enfant est couché sur le dos. Il doit lever et tendre le bras droit. Tout en gardant le bras tendu, on lui demandera de tracer divers contours :
    1. la forme d'un triangle (en partant vers la droite puis vers la gauche),
    2. un cercle (vers la droite, puis vers la gauche),
    3. des formes plus complexes,
    4. en passant autour d'obstacles,
    5. en passant à l'intérieur des cadres de formes géométriques diverses.

Les glissements (se traîner)

Le corps se déplace sur une surface quelconque tout en restant continuellement en contact avec le sol.

— L'enfant est couché sur le ventre. Lui demander de se déplacer vers l'avant ou vers l'arrière comme un serpent, un ver, comme un soldat. (Fig. 1.5)
— Déplacement en chenille : la partie inférieure de son corps se replie, puis la partie supérieure se détend vers l'avant. (Fig. 1.6)
— Le déplacement du corps entier peut se faire de plusieurs façons : en se poussant avec les mains, avec les jambes, en se traînant sur les coudes (comme un soldat).

Fig. 1.5

Fig. 1.6

— Faire passer l'enfant sous différents objets (table, chaise, etc.).
— Placer une toile épaisse sur le sol et demander à l'enfant de se glisser dessous et d'avancer en partant d'une extrémité pour sortir par l'autre.
— L'enfant est couché sur le dos. Il doit se déplacer en poussant avec ses pieds, puis avec ses mains et ses coudes. Les déplacements doivent se faire dans plusieurs directions.
— Reprendre le glissement comme un serpent.
— Glissades sur la neige, le sable, le gazon, etc.
— Reprendre les glissements en position assise et introduire toutes les variantes possibles.

Rouler

— L'enfant est couché sur le dos, les jambes réunies, les mains collées au corps de chaque côté. Demander à l'enfant de rouler sur le côté. (Montrer le mouvement avec balle, roues, etc.). Au début, on n'intervient pas. L'enfant roule jusqu'à ce qu'il arrive à un mur ou à un obstacle qui l'arrête puis il roule sur le côté opposé pour revenir à son point de départ. (Fig. 1.7)
— L'enfant doit rouler sur le côté gauche puis sur le ventre. Recommencer cet exercice dans le sens contraire. Ceci n'est

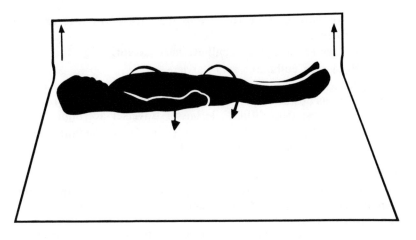

Fig. 1.7

plus fait en vue d'une prise de conscience de son tronc mais bien de contrôler le freinage de son corps entier dans un plan droit.

— Demander à l'enfant de partir du dos, pour rouler sur le côté, sur le ventre, et retour sur le dos. Reprendre le même exercice dans le sens contraire. Rythmer ces mouvements avec un tambourin ou un disque de danse rythmique.

— Rouler vers la gauche, du ventre au dos (2 fois), revenir vers la droite (3 fois).

— Rouler deux fois à partir du dos, s'arrêter sur le ventre.

— L'enfant est toujours couché sur le dos mais les mains levées au-dessus de sa tête et les pieds joints. Rouler.

— Même position mais l'enfant tient un objet dans ses mains levées au-dessus de sa tête, ensuite entre ses pieds, puis entre ses jambes. Utiliser d'abord un morceau de tissu, puis une éponge, une boîte et enfin une balle.

— Même exercice, une main seulement tendue au-dessus de sa tête, l'autre le long du corps. Rouler vers la droite, puis vers la gauche. Changer de bras.

— Même exercice en tenant un objet dans la main levée (balle).

— Rouler bras croisés sur la poitrine.

— L'enfant est allongé au bord d'une couverture. Ses camarades doivent soulever la couverture pour le faire rouler en dehors de la couverture. (Voir fig. 1.7)

— Rouler sur une planche placée en pente, sur du gazon, sur du sable, du papier, etc. Rouler de haut en bas puis le contraire.

— Faire faire la roue (beaucoup d'espace nécessaire, exercice difficile).

— Rouler en faisant une culbute vers l'avant.

— Rouler en culbutant vers l'arrière.

— Tracer un chemin ou encore un plan de roulage et placer certains obstacles que l'enfant devra surmonter tout en roulant. Si cela est trop difficile, le laisser traverser accroupi.

— Reprendre certains de ces exercices en plaçant l'enfant dans un baril, dans un sac de papier, de toile, etc.

S'asseoir

Ces exercices visent à renforcer les muscles du dos et du ventre. L'enfant en position assise doit garder le dos bien droit et être totalement détendu.

— Assis, jambes croisées, redresser le tronc, respirer (inspirer, expirer).

— Même position, prolonger au maximum l'inspiration puis l'expiration.

— Assis jambes allongées en avant (position difficile pour certains enfants : les muscles de l'arrière-jambe sont très tendus), balancer les hanches à droite puis à gauche. (Fig. 1.8)

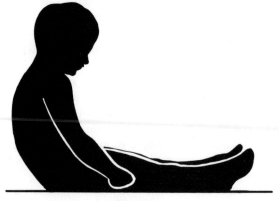

Fig. 1.8

— Même exercice, jambes croisées.

— Toujours dans la même position, jambes allongées, toucher un point à gauche avec la pointe du pied droit (croiser) puis inverser. Reprendre avec le genou. Reprendre avec combinaison pied-genou.

— Assis, bras croisés, jambes croisées en tailleur. Se tourner vers la gauche, puis vers la droite. (Tambourin ou musique à 2 ou 4 temps.) (Fig. 1.9)

Fig. 1.9

— Même exercice, bras tendus imitant les ailes d'un avion.
(Fig. 1.10)
— Même exercice mais seule la tête pivote à droite, à gauche.
— Assis, jambes allongées en avant, l'enfant se fait avancer en
donnant un coup de hanche à droite, un à gauche.
Rythme à 3 temps (métronome, tambourin, air de valse).
— Même exercice en reculant.
— Demander à l'enfant de s'asseoir en imitant différents animaux.
La majorité de ces exercices peuvent être repris avec l'enfant
assis sur une chaise ou sur un petit banc.

Fig. 1.10

— Disperser dans la pièce une dizaine d'objets sur lesquels l'enfant peut s'asseoir (boîtes de différentes grandeurs, chaises, fauteuils, un banc, etc.). On compte jusqu'à 10 et l'enfant doit s'asseoir correctement sur chaque siège.

Position assise: relaxation

— L'enfant est assis à son pupitre, il pose la tête sur ses bras, appuyés en avant sur son pupitre. Les yeux sont fermés. (Fig. 1.11)

Fond sonore: musique très douce. On fait remarquer aux enfants comme ils se sentent bien, comme les bras, les jambes, le dos, la tête, le cou sont détendus, comme ils se reposent bien.

— Position de lecture, dos bien appuyé contre le dossier de la chaise, tête droite, les deux bras sur le pupitre.

— Faire lire l'enfant: le livre doit être à environ 20 cm (8 pouces) de ses yeux; on peut aussi lire l'histoire soi-même. L'enfant reste dans cette position jusqu'à la fin de l'histoire.

— Position pour écrire: l'angle d'écriture est le même pour les droitiers que pour les gauchers.

Demander à l'enfant de dessiner un bonhomme ou quelque chose de très simple, et observer.

— Lorsque l'enfant a bien appris à s'asseoir, on peut discuter avec lui des façons convenables de s'asseoir à table pour manger, dans un salon, dans une automobile, dans un lieu public (théâtre, auditorium, etc.).

Fig. 1.11

Position assise : équilibre

> Les questions d'équilibre et de posture sont extrêmement importantes pour bien s'asseoir.

— S'asseoir en tenant sur la tête, sur l'épaule ou sur les genoux, un livre ou un autre objet, aussi longtemps que cela sera possible.

— Répéter les mêmes exercices, assis sur le bord de la chaise.

Ramper (marcher à quatre pattes avec mouvements homolatéraux).

— Le deuxième déplacement important de l'enfant se fait à quatre pattes. L'enfant, non seulement distinguera le haut du bas de son corps, mais il devra différencier le côté droit du gauche. Il apprendra à avancer sur ses genoux et ses mains de façon coordonnée. (Fig. 1.12 et 1.13)

L'enfant doit toujours avoir la tête droite et garder les yeux fixés sur l'objet vers lequel il se dirige. Si la tête est inclinée, son sens de la direction sera faussé.

Fig. 1.12

Fig. 1.13

Le terrain sur lequel se traîne l'enfant doit être propre et sans obstacles susceptibles de le distraire ou de le blesser.

Il est important de noter la qualité du déplacement, c'est-à-dire s'assurer que la colonne vertébrale est bien horizontale, la tête maintenue bien droite, la position des épaules bonne, etc. ; le temps que l'enfant prend pour avancer ou le fait qu'il procède par saccades doivent aussi être notés.

Il est souvent nécessaire de surveiller l'enfant pour s'assurer que la synchronisation entre les mouvements du bras et ceux de la jambe, est bonne, et que l'alignement du corps et de la tête est maintenu. Si l'on remarque que l'enfant éprouve certaines difficultés, il peut être nécessaire de lui attacher des poids aux mains et aux genoux (ou aux pieds).

Au début, indiquer et faire prendre conscience à l'enfant de la position correcte du corps pour la marche à quatre pattes : l'enfant se met à genoux, lève une jambe puis l'autre, lève les bras, exécute des mouvements de torsion du tronc, il se penche vers l'avant, arrondit le dos comme un chat, plie vers le bas comme un vieux cheval.

— Tête baissée, le faire marcher sur ses mains et ses pieds, puis comme un ours, un porc, un lévrier, un porc-épic ou tout autre animal qui marche la tête baissée. (Voir fig. 1.13)

— Reprendre les exercices la tête haute, comme un cheval, un tigre, une girafe. (Voir fig. 1.12)

— Demander d'abord d'avancer sans directives précises.

— L'enfant se repose en s'asseyant sur ses pieds tout en gardant les deux mains de chaque côté de son corps ; puis il se lève doucement et se place dans la position de la marche à quatre pattes. Les bras doivent rester droits et les poignets raidis. (Fig. 1.14)

— Se diriger vers un objet, un but.

— Avancer de façon homolatérale (on avance le bras et la jambe du même côté, au même moment). On peut attacher avec une ficelle (élastique si possible) le bras et la jambe du même côté.

— Ajouter la dimension de rythme soit avec un métronome, un tambour ou tout autre instrument.

— Même exercice en reculant, puis de côté (à droite et à gauche).

— Avancer cette fois bras et jambe opposés (marche homolatérale croisée).

— Même exercice en reculant.

— Montrer différentes façons d'avancer dans cette position [à quatre pattes], à l'aide de films et de photos qui illustrent la manière dont se déplacent certains animaux tels que le chat, le cheval, etc. Il est important que cette activité soit exécutée lentement.

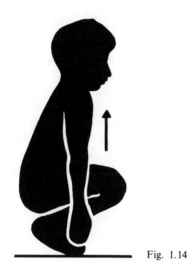

Fig. 1.14

— Ajouter la vitesse.
— On trace un chemin que l'enfant doit suivre à quatre pattes en évitant les obstacles, soit en les contournant, soit en passant par-dessus ou par-dessous. (Fig. 1.15)
— Construire un tunnel avec des bidons vides ouverts aux deux extrémités et y faire ramper l'enfant. L'enfant devra entrer d'un côté et sortir de l'autre. (Un tunnel qui permet de voir les mouvements de l'enfant par une fenêtre d'observation est plus utile que les tunnels vendus dans le commerce, qui sont en général circulaires et fermés. Il est recommandé de prendre un tunnel rectangulaire, une très grande boîte, si possible.)

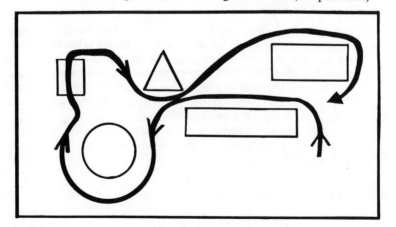

Fig. 1.15

— Même exercice, mais l'enfant doit faire demi-tour au milieu du tunnel.

— Disposer une rangée de chaises et demander à l'enfant de passer dessous.

— L'enfant devra ensuite ramper selon des tracés géométriques (cercle, carré, triangle, hexagone, rectangle) ou d'autres formes plus complexes, d'abord en avançant puis en reculant. Dessiner sur le plancher ces différents tracés; en varier les grandeurs, puis supprimer tout guide visuel.

— Mêmes exercices mais en remplaçant les formes géométriques par des lettres et par des chiffres.

— Demander à l'enfant de monter une côte ou une pente et de la descendre de face, puis à reculons.

— Demander à l'enfant de monter et descendre les escaliers à quatre pattes.

— Préparer un trajet avec des obstacles que l'enfant devra non pas contourner mais escalader (livres, boîtes, seaux, meubles, coussins, etc.).

— Suggestions: attacher trois ballons à la jambe droite et au bras gauche de l'enfant, en se servant de ficelle ou de rubans afin de ne pas le blesser. Si l'enfant ne garde pas la main bien posée sur le plancher, on peut, au début, lui mettre une petite balle de caoutchouc dans chaque main; on peut aussi lui faire tenir, toujours dans chaque main, un petit cube de bois ou une boule de papier. Ou encore, attacher des petites cloches de même tonalité ou de tonalités différentes, à chacun des poignets ou aux chevilles de l'enfant. Il peut aussi enfiler des gants de base-ball ou de boxe.

— L'enfant doit apprendre à avancer sur diverses surfaces: dures comme le plancher, le ciment; douces comme celle d'un tapis, ou sur des surfaces molles, comme un matelas, du sable, un tremplin, ou encore dans un petit bassin d'eau ou sur le gazon, etc. Si on s'aperçoit que l'enfant a de la difficulté à conserver son rythme, raccourcir la distance à parcourir, puis augmenter cette distance petit à petit.
On suggère de confectionner un « tapis sensoriel » composé d'éléments de différentes textures et sur lequel des formes diverses seront représentées.

Déplacement sur roulettes

Matériel: une petite planche carrée d'environ 30 cm × 30 cm (12 × 12 pouces), montée sur quatre roulettes.

— L'enfant est assis sur la planche, les jambes croisées ; il avance et recule en se servant de ses mains. D'abord les deux mains doivent se mouvoir en même temps ; par la suite, comme pour ramper, il pousse une main après l'autre. (Fig. 1.16)

Fig. 1.16

— Même exercice, mais l'enfant à genoux sur la planche.
— L'enfant se couche, le tronc sur la planche, il doit avancer les deux mains en même temps, puis reculer les deux mains en même temps, ensuite, une main après l'autre.
— Toujours couché sur la planche, l'enfant place ses deux mains sous sa poitrine ; il doit avancer en se servant de ses pieds.
— Lorsque les exercices précédents sont bien assimilés, on demande à l'enfant (qui reste toujours sur sa planche), de tracer différentes formes géométriques.
(Remplacer les signaux-objets par des signaux auditifs de toutes sortes.)

Marcher

Le bébé doit apprendre à se tenir debout avant de se mettre en mouvement. Il faut donc vérifier si la position « debout » (équilibre statique) est acquise. Tous les exercices qui suivent exigent tantôt le port des souliers, tantôt les pieds nus.

— Monter sur une boîte de carton ou de bois ou sur un banc et rester debout les deux bras tombant de chaque côté de son corps. L'enfant devra être capable de se tenir dans cette position durant 30 à 60 secondes sans perdre l'équilibre.

Noter s'il y a des difficultés, si les pieds sont bien l'un près de l'autre. S'ils sont écartés, cela donne à l'enfant une base beaucoup plus large, et il lui est plus facile de trouver alors son point d'équilibre.

— Sauter sur place, les deux pieds ensemble, une dizaine de fois.
— Sauter sur une patte environ 7-8 mètres, puis reprendre avec l'autre.

— Se tenir en équilibre sur la jambe droite puis ensuite la gauche tout comme un héron (noter si l'exercice paraît difficile d'un côté ou de l'autre ou s'il y a vacillations. (Fig. 1.17)

Fig. 1.17

— Debout sur les deux jambes, demander ensuite à l'enfant de bouger certains membres. Lever les bras, les baisser; observer s'il y a régularité dans les mouvements. Tendre les deux bras ensemble vers l'avant. Observer s'il y a tremblement ou faiblesse de l'un ou l'autre bras. (Fig. 1.18)

— Balancer un bras après l'autre.

— Toucher ses pieds, se relever, toucher son nez.

— S'accroupir, rester immobile quelques secondes, puis se relever. (Fig. 1.19)

— Varier les positions et combiner différents gestes.

— Tourner les épaules vers la droite, revenir, tourner vers la gauche. (Fig. 1.20)

— Se tenir droit, les deux mains de chaque côté du corps avec un livre sur la tête.

— Même position, avec dans la bouche une cuillère dans laquelle on place une bille. Tourner doucement la tête vers la droite, revenir, puis tourner vers la gauche et revenir tout en gardant dans la bouche la cuillère avec la bille.

Fig. 1.18

Fig. 1.19

Fig. 1.20

— Marcher en ligne droite sans bouger ni les mains ni les bras.

— Expérimenter les différents types de marche au point de vue sensoriel : dans la boue, dans l'eau, sur le sable, le ciment, les cailloux, sur le plancher, le tapis, etc.
On note bien le comportement de l'enfant, ses hésitations, puis on change d'exercice.

— Sans bouger les bras, marcher en suivant une ligne droite, puis une ligne courbe ; ensuite suivre différents tracés de formes géométriques.

— Demander à l'enfant de monter des escaliers. (Il est à noter qu'un pied doit suivre l'autre pour monter comme pour descendre l'escalier) puis les redescendre.

— Mêmes exercices en reculant.

— Marcher comme un soldat de bois, c'est-à-dire qu'à part les jambes, rien ne bouge, les bras et les jambes sont raides.

— Marcher comme une poule (seule la tête bouge) ; marcher comme un gorille (penché au niveau de la taille, et les bras se balançant de chaque côté du corps). (Fig. 1.21)

— Sur le plancher, faire des marques ou placer des découpages (ovales) de couleurs différentes ou portant les initiales D [droit], G [gauche] (pour indiquer l'emplacement des pieds), et les disposer selon un trajet que l'enfant devra suivre en observant bien les indications.

Fig. 1.21

— Demander à l'enfant de marcher comme les soldats, en balançant les bras de chaque côté du corps et en pliant les genoux.

— Marcher en balançant les bras mais sans plier les genoux, comme pour le pas de l'oie (pas de parade militaire en Allemagne).

— Suivre un parcours d'obstacles qui devront être contournés ou escaladés.

— Marcher en ligne droite, un pied en avant de l'autre (orteils de l'un touche au talon de l'autre) suivant un tracé sur le plancher, environ 3 mètres.

— Placer sur le sol une planche de bois d'environ 8 à 10 cm (3 à 4 pouces) de large ; demander à l'enfant de marcher tout le long de cette planche (cette activité a pour but de vérifier l'équilibre de l'enfant). (Fig. 1.22)

— Soulever la planche petit à petit et recommencer cet exercice jusqu'à ce que l'enfant soit capable de marcher sur la planche placée à une hauteur d'environ 60 à 90 cm (2 à 3 pieds) du sol. L'enfant doit aussi apprendre à marcher sur cette planche disposée en plan oblique, en montant et en descendant.

— Répéter ces différentes activités, en avant et en arrière, et les yeux bandés.

Fig. 1.22

— Se déplacer vers la droite en tenant son corps droit et fixé vers l'avant.
— Marcher avec des échasses.
— Marcher avec des boîtes de conserve (en guise d'échasses) soutenues par des ficelles. (*Voir* fig. 2.16)

Matériel: deux grosses boîtes de conserve vides (par exemple, boîtes de jus de fruits dont le couvercle a simplement été perforé). Faire deux trous de chaque côté des boîtes pour y faire passer une corde. On ajuste cette corde selon la taille de l'enfant.
Métronome ou musique.

Courir

Matériel: métronome ou musique pour rythmer la course.
— Courir sur place. Activité libre, afin que l'enfant prenne conscience de ses membres en mouvement. Encourager l'expression orale.
— Courir sur place en balançant les bras (comme s'ils étaient un chiffon).

Note – Les figures se rapportant à plusieurs exercices décrits dans ce chapitre sont insérées dans le chapitre 2.

— Courir très lentement et augmenter graduellement la vitesse (course libre à travers la pièce).

— L'enfant place ses deux mains à peu près à la hauteur de la taille et court sur place. (Fig. 1.23)

Fig. 1.23

— Toujours en courant sur place, les bras tendus, on demande de toucher un genou ou le dessus de ses cuisses avec une main puis avec l'autre. S'arrêter, relaxer. Noter et exiger de plus en plus la coordination dans les mouvements.

— Courir en ligne droite ; il est utile de chronométrer la vitesse de chaque enfant.

— Placer deux planches de bois par terre et courir entre les deux planches.

— Courir en dessinant différentes formes géométriques.

   Matériel : deux échelles posées à plat sur le sol, de telle sorte que les barreaux de l'une soient décalés par rapport à ceux de l'autre.

— Courir à l'intérieur d'ouvertures, en avant, en arrière, vers la droite, vers la gauche (exercice d'entraînement du joueur de football).

— Courir à l'intérieur de pneus, de cerceaux, etc... placés en deux rangées parallèles et égales. Reprendre en changeant la disposition.

— Courir en tenant quelque chose dans une main puis dans l'autre, puis dans les deux mains (balle, cuillère avec une bille, etc.).
Il existe dans les programmes d'éducation physique beaucoup de jeux qui répondent à ces activités.

— Faire courir l'enfant les yeux bandés.

— Courir en imitant différents animaux.

Sauter

L'action doit être bilatérale, de telle sorte que l'enfant n'ait pas à faire plus d'effort d'un côté que de l'autre. Bien observer les deux temps du mouvement : se soulever, retomber.

Sauter sur place

— Les sauts ne doivent pas être hauts ni désordonnés. L'enfant doit prendre conscience de la distribution, à travers tout son corps, de l'effort à fournir. Il ne doit pas tomber. Tenir les mains de l'enfant ; compter jusqu'à dix pendant qu'il saute.

— Reprendre l'exercice en sautillant : on explique le processus du mouvement.

— Reprendre sur un pied, puis sur l'autre.

Saut avec déplacement

— Reprendre l'exercice avec le galop.

— Sauter vers l'avant, vers l'arrière, par-dessus une ligne tracée sur le plancher.

— Reprendre le sautillement.

— Sauter sur un pied, en suivant des lignes droites, courbes, brisées, etc.

— Sauter sur les deux pieds, mais en variant l'écartement ; pour cela, tracer des lignes sur le plancher.

— Debout sur une chaise, l'enfant doit sauter en bas.

— Sauter en avançant selon une ligne droite et les bras collés au corps.

— Sauter, accroupi comme une grenouille ; les mains seules peuvent toucher le plancher.

— Sauter à la façon d'un lapin ; jambes pliées, les mains ne touchent pas par terre, elles sont placées de chaque côté vers l'arrière du corps.

— Sauter une corde d'environ 20 cm de haut.

— Sauter par-dessus des objets vers l'avant, vers l'arrière. Lorsque cela est possible, demander à l'enfant de sauter sur un matelas ou sur un tremplin.

— Sauter en traçant des cercles avec les bras.

— Reprendre ces exercices de sautillement, de galop, etc.

— Passer à l'initiation au saut en hauteur.

— Sauter sur 1 pied puis sur 2 pieds. Exercices sur 1 pied: varier les séquences rythmiques avec métronome, tambourin, etc. et suivant divers trajets (ex.: [D, 2 ; G, 3 × 4], [D, 3 ; G, 2 × 4], etc.).

— Reprendre le sautillement, en variant les séquences.

— Reprendre le galop, en variant les séquences.

— Saut sur une jambe en déplaçant un petit objet (boîte ou autre) sur le plancher. Reprendre avec l'autre.

N.B. Les exercices se font plus facilement s'ils sont accompagnés d'une chanson rythmique — une chanson particulière à chaque type d'activité — que les enfants apprennent et chantent en les exécutant.

Le saut à la corde

— Sauter à la corde. Établir le mouvement de rotation des bras et des poignets.

— *La corde à l'état statique.* On dessine, avec la corde, un cercle sur le plancher. Les enfants sautent, chacun leur tour, en restant à l'intérieur du cercle.

— Reprendre en diversifiant les formes tracées avec la corde.

— *La corde est mobile.* La corde est balancée suivant un mouvement de va-et-vient.

— La corde effectue un tour complet.

— Rotation et entrecroisement de deux cordes.

— Deux enfants sautent en même temps.

— Saut à la corde sur une jambe.

— Saut à la corde tout en avançant (marche et course).

Le tremplin

Ces activités impliquent seulement les mouvements globaux (voir chap. 2 pour activités segmentées).

En premier lieu, il est nécessaire de montrer à l'enfant comment sauter sur la toile et à se laisser retomber, puis rebondir tout simplement. Bien observer son comportement.

Il est important de noter que l'espace occupé par l'enfant n'est pas le même sur un tremplin que sur le sol. Il doit apprendre à se tenir au centre de la toile, très droit avec les pieds pointés vers l'avant mais légèrement écartés. Au début, l'enfant devra prendre possession de ce nouvel espace en marchant, en se traînant, en se roulant, etc., sur la toile. Pour le saut, les bras peuvent être souples ou se balancer le long du corps ou se mouvoir comme des ailes afin d'amortir le choc. Le saut sur le tremplin exige habituellement très peu d'effort de la part de l'enfant. Il est à noter aussi que la tête doit être très droite, parce qu'une tête penchée peut faire dévier le corps.

Le mouvement du genou est important pour amorcer le saut. Les genoux et les chevilles doivent se plier lorsque l'enfant retombe sur la toile afin de perpétuer le mouvement de haut en bas. L'enfant doit par la suite apprendre à s'arrêter.

Comme il apprend à se mettre en mouvement en pliant les genoux, l'enfant apprend à retomber, à plier les genoux et à s'arrêter. Plus tard, l'enfant saura retomber assis, sur le ventre ou à genoux, puis revenir à la position verticale.

Lui montrer comment rouler sur lui-même.

— Il est important d'enseigner à l'enfant la manière de bien rester au milieu de la toile. La méthode consiste à suspendre une balle au-dessus du centre du tremplin et à donner un bâton à l'enfant; il devra sauter et frapper la balle.

La tête doit toujours rester bien droite; l'enfant ne doit jamais regarder ses jambes ni ses pieds.

On peut lui attacher différents poids aux chevilles, aux épaules, aux poignets ou aux jambes.

Ce n'est que lorsque l'enfant sera capable d'effectuer vingt sauts consécutifs au milieu du tremplin, en gardant une position verticale stable, que l'on pourra passer à des exercices plus complexes.

— Demander à l'enfant de faire un demi-tour vers la gauche, puis vers la droite et ensuite de faire un tour complet sur lui-même. Faire l'association avec la notion de fraction en mathématique.

Activités dans l'eau

Le milieu aquatique, qui est en fait le milieu d'origine de l'enfant, est d'une importance primordiale.

Il existe sur le marché de nombreux guides d'apprentissage des mouvements en milieu aquatique. L'Association du Québec pour les Enfants ayant des Troubles d'Apprentissage (AQETA) distribue plusieurs de ces livres portant sur les techniques spécialisées.

DÉFINITION DE TERMES

Anatomie – Étude spécifique du corps en tant qu'ensemble de parties fonctionnant comme un tout avec ses éléments symétriques et bilatéraux.

Appartenance – Rapport de l'individu à la classe dont il fait partie.

Articulation – Point de rencontre de deux os ; joue un rôle important dans la mobilité (kinesthésie).

Courir – Déplacement de type projectif qui fait intervenir différents types de mouvement, vitesse, organisation spatio-temporelle et autre.

Déplacement – Le corps ou une partie du corps vient en contact avec une surface plane sur laquelle il se déplace. Favorise la connaissance et la perception des surfaces par contact direct.

Identification sexuelle – Distinction des possibilités musculaires des deux sexes.

Identité – Conscience des différentes parties de son corps qui se déplacent comme un tout dans un espace libre ou parsemé d'obstacles (schéma spatial).

Marcher – Déplacement horizontal de type projectif, soit d'un point à un autre. La marche est un processus très complexe dans lequel entrent le rythme, la symétrie et la coordination ; les bras y jouent un rôle important.

Motricité globale – Développement de l'ensemble de la structure neuro-musculaire. Il s'agit de considérer l'enfant comme un tout pouvant se mouvoir dans un espace qui lui est propre.

Ramper – Déplacements et mouvements (marche à quatre pattes) sur une surface spatiale organisée qui nécessite la coordination des mouvements croisés ainsi qu'une certaine connaissance des relations spatiales.

Rouler – Le corps, par différents mouvements de rotation, vient en contact avec les surfaces, en séquences organisées (c'est plus un changement de position qu'un déplacement).

S'asseoir – Une des premières positions verticales acquises par l'enfant lors de son développement ; elle nécessite un renforcement des muscles abdominaux et dorsaux.

Sauter – Mouvements organisés en séquences de bonds sur une surface plane entraînant les contrôles spatiaux temporels et la structuration des relations spatiales.

Sautiller – Sauts brisés.

Silhouette – La configuration, la forme ou les limites qui déterminent l'être, l'individu.

Voix – L'aspect sonore qui permet l'identification et la distinction des individus entre eux, et aussi de leur humeur spécifique.

SUGGESTIONS DE MATÉRIEL ET DE JEUX

Tapis pour exercices couchés
Vêtements appropriés
Ballons et balles
Miroir simple et miroir triple
Miroirs concaves et convexes
Magnétophone
Tourne-disque
Corde — ficelle — rubans, etc.
Jeux de construction
Tunnel ou passage
Échasses
Cerceaux
Pneus d'automobile
Masque ou foulard pour couvrir les yeux
Chronomètre
Métronome
Tambour

EXERCICES DE RELAXATION ACCOMPAGNÉS DE MUSIQUE
(voir collection dans *Sélection du Reader's Digest*, Mafex Associates, Dent Co.)

Musique folklorique
Musique hawaïenne
Musique des barils (type antillais)
Programme d'éducation rythmique de Robins et Ferris
Disques du Peabody (en anglais)
Disques du programme *Sesame Street* (anglais seulement)
Exercices pour la danse à claquettes
Exercices de yoga avec disques
Extraits de musique de ballet
Exercices d'imitation (de boxeur, d'animaux, d'avion, etc.).

BIBLIOGRAPHIE

A. En français

ABBADIE, M. et M. L. MADRE, *Comment faire?... l'Éducation rythmique*, Paris, Nathan, « Comment faire? ».

AJURIAGUERRA, J. de, « les Bases théoriques des troubles psychomoteurs et la rééducation chez l'enfant », *Méd. d'Hyg.*, 1961, vol. 19, p. 801–804.

AJURIAGUERRA, J. de et H. HECAEN, *le Cortex cérébral*, 2ᵉ éd., étude neuro-psychopathologique, Paris, Masson, 1965.

BENOS, Jean, *Enfance inadaptée et l'éducation psychomotrice*, Paris, Maloine, 1959.

BRETAGNE, Marie-Blanche de, *l'Enfant dyslexique et son schéma corporel*, Montréal, Université de Montréal, 1966.

BUYTENDICK, E., *le Corps comme situation motivante*, Paris, PUF, 1959.

CAMUS, Y., *Comment faire?... l'Éducation motrice*, Paris, Nathan.

CATTAU, R., *Enseignement de la natation*, Paris, Vigot Frères, 1971.

CONSEIL DU QUÉBEC DE L'ENFANCE EXCEPTIONNELLE, *Symposium sur le schéma corporel*, 1967.

DELAY, J., *la Psychophysiologie humaine*, Paris, PUF, « Que Sais-je? », 1948.

EN COLLABORATION, *la Culture physique*, Paris, Éd. André Bonne.

FERRETTE, J., *Jeux d'intérieur*, Paris, Éd. André Bonne.

——————, *Jeux de cour et d'extérieur*, Paris, Éd. André Bonne.

FRAISSE, P. et J. PIAGET, *Traité de psychologie expérimentale. Sensation et motricité*, Paris, PUF, 1963.

GALIFRET-GRANJON, N., « les Praxies chez l'enfant d'après Jean Piaget », *la Psychiatrie de l'enfant*, Paris, PUF, 1961, vol. 4, nᵒ 2.

GEISSMANN, P. et R. DURAND DE BOUSINGEN, *les Méthodes de relaxation*, Paris, Dessart, 1963.

GILOMARI-BOULINIER, A., *Guide des premiers pas scolaires*, Neuchâtel, Delachaux et Niestlé, 1965.

GUILMAIN, E., *Tests moteurs et tests psychomoteurs*, Paris, Foyer central d'hygiène, 1948.

LE BOULCH, J., *les Facteurs de la valeur motrice*, Dinard, 1960.

——————, *l'Éducation par le mouvement*, Paris, Éditions sociales françaises, 1968.

LOMBARD, F. et A. MICH, *l'Expression corporelle de cinq à quinze ans*, Paris, A. Colin, 1972.

MINET, J., *Éducation physique pour tout-petit*, Bruxelles, A. de Boeck, 1956.

MINISTÈRE DE LA SANTÉ NATIONALE ET DU BIEN-ÊTRE SOCIAL, *le Prix canadien d'efficience physique*, Ottawa, Imprimeur de la reine.

PIAGET, J., *les Notions de mouvement et de vitesse*, Paris, PUF, 1946.

——————, « les Praxies chez l'enfant », *Revue de neurologie*, 1960, nᵒ 102.

REY, A., *Études des insuffisances psychologiques*, Neuchâtel, Delachaux et Niestlé, 1962.

ROBERT, G. A., *Éducation physique formative*.

ROCHER, M., *Rééducation psychomotrice*, Paris, Masson, 1972.

ROSSEL, G., *Manuel d'éducation psychomotrice*, Paris, Masson, 1973.

SIVADON et GAUTHERET, *la Rééducation corporelle des fonctions mentales*, Paris, Éditions sociales françaises, 1965.

SOUBIRAN, G. et P. MAZO, *la Rééducation scolaire des enfants intelligents par la rééducation psychomotrice*, Paris, Doin, 1971.

VANDERVAEL, J., *Mouvements du corps humain*, Paris, Maloine, 1966.

——————, *Analyse des mouvements du corps humain*, Paris, Maloine, 1967.

VAYER, P., *le Dialogue corporel*, Paris, Doin et Deren, 1971.

SHULTZ, Le Training Autogène. P.U.F., Paris,1965.

B. En anglais

BAILEY, N., *The Development of Motor Abilities during the First Three Years*, Society of Research Child Development, 1935, vol. 1.

BAUER, L. M. et B. REED, *Dance and Play Activities*, New York, Chatwell House, 1966.

BILBROUGH, A. et P. JONES, *Physical Education in the Primary School*, Londres, University of London Press, 1963.

BRYANT, J. et B. CRATTY, *Movement Perception and Thought*, Peek Publications.

CLARKE, H., *Rogers Strength Task*, Englewood Cliffs, Prentice-Hall, 1959.

CLEARY, B., *Moving in Learning*, Montréal, Quebec Association for Children with Learning Disabilities, 1964. (AQETA)

CRATTY, B., *Movement Behavior and Motor Learning*, Philadelphie, Lea & Febiger, 1967.

DANIELS, A. et E. A. DAVIES, *Adapted Physical Education*, New York, Harper & Row, 1965.

DELACATO, C., *Neurological Organization in the Classroom*, Chicago, System for Education.

EWING, N., *Games, Stunts and Exercices*, Palo Alto, Fearon Publishers.

FISHER, R., *Formation of a Gross Motor Program*, Montréal, Quebec Association for Children with Learning Disabilities.

GETMAN, G. W., *Practice in General Coordination*, Chicago, Lyons & Carnahan.

HACKETT, L. C. et R. G. JENSEN, *A Guide to Movement Exploration*, Peek Publications.

ISMAIL, A. H. et J. J. GRUBER, *Motor Aptitude and Intellectual Performance*, Columbus, Charles E. Merrill Publishing Co., 1967.

LABAN, R., *Modern Educational Dance*, Londres, MacDonald & Evans, 1963.

MOSSTON, M., *Teaching Physical Education*, Columbus, Charles E. Merrill Publishing Co., 1966.

YOUNG, H. L., *A Manual Workclock of Physical Education*, New York, Macmillan.

CHAPITRE 2

INTÉGRATION SENSORIMOTRICE

Le système sensorimoteur se distingue du système moteur global, en ce sens que l'accent est mis sur les membres, la coordination et la dissociation des éléments statiques (du corps) de ceux qui sont en mouvement. La maturation permet progressivement que l'organisme infantile atteigne un certain équilibre où un ensemble de parties travaille en harmonie c'est-à-dire qu'elles s'intègrent dans un ensemble global.

Au fur et à mesure (voir Kessler) de son développement naturel, l'enfant devient capable de situer les objets, leur distance et leur position dans l'espace par rapport à son propre corps.

Son développement intellectuel lui permettra par la suite d'établir les relations nécessaires entre son corps et les objets, et de découvrir les différents moyens de s'en approcher.

Il est important que l'enfant soit conscient de son propre corps et des parties qui le composent.

L'enfant doit posséder une image de lui-même, telle que l'expérience qu'il est en train d'acquérir lui permet de s'évaluer, d'intérioriser les sensations ressenties et de critiquer son propre comportement sur les plans intellectuel, moteur et sensoriel. L'image qu'il se fait de lui-même dépend en grande partie de la stabilité passée et présente de sa vie émotionnelle, ainsi que de ses capacités intellectuelles et motrices et la mise en pratique de celles-ci.

Lorsqu'on peut se procurer des photos de l'enfant à des âges différents, on lui demande de les classer par ordre chronologique. Par la suite, on demandera à l'enfant de raconter les événements que lui rappellent ces photos et les objets qui y sont représentés.

L'image de soi est intimement liée au concept de soi qui suit un apprentissage conscient des fonctions de son corps.

Schéma corporel

C'est une forme plus abstraite de l'image ou la reproduction que l'enfant se fait de son corps et implique le mouvement.

L'enfant doit pouvoir entrer dans un état de relaxation totale (voir méthode, p. 23) avant d'entreprendre les exercices reliés à l'intégration du schéma corporel.

— L'enfant est couché sur le dos. On place des objets de tailles et de poids différents, sur certaines parties de son corps, et on demande à l'enfant d'exprimer ce qu'il ressent.

Le schéma corporel est un aspect inconscient de cette image qui nécessite pourtant des apprentissages particuliers à partir d'expériences sensorielles. En bas âge, le dessin du bonhomme représente l'image que l'enfant a du corps en tant que forme et non en tant que structure organisée.

— Demander à l'enfant de se coucher sur des feuilles de papier (prendre des feuilles cartonnées plutôt que du papier), tracer le contour de l'enfant. L'enfant complète, c'est-à-dire dessine les yeux, la bouche, les doigts, etc. Il est préférable que l'enfant soit en maillot de bain afin de bien dessiner toutes les parties de son corps.

— Le professeur découpera minutieusement le contour du corps puis les parties suivantes : les pieds, les jambes, les mains, les bras, le cou, la tête, les cheveux, les oreilles. L'enfant possède ainsi un puzzle (casse-tête) de son propre corps. (Fig. 2.1)

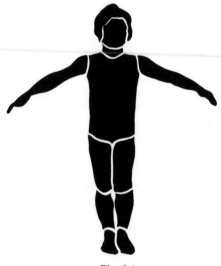

Fig. 2.1

— Le professeur pourra suggérer de multiples variations, comme découper des vêtements dans différents papiers de couleur, se coucher dans l'espace vide qui délimite le contour de son corps. Faire observer que certains enfants sont plus longs, etc.

— Faire les exercices de Frostig pour le schéma corporel ainsi que ceux du Body Concept du D. L.M. (Developmental Learning Materials).

— Lorsque l'enfant est capable de représenter le mouvement dans ses dessins, (autour de dix ans) faire reproduire différentes positions et mouvements de personnage.

Latéralité et sens de l'orientation

Avant de commencer les exercices, il s'agira de vérifier si la dominance (œil-main-pied) est bien établie.

Constater cette dominance ne veut pas dire que l'enfant dépense son énergie d'un seul côté, mais que l'énergie globale est bien sous le contrôle d'un hémisphère dominant qui gère et distribue l'énergie vers une fonction spécifique.

— Exercice de visée : présenter à l'enfant un tube d'environ 5 cm (2 po.) de diamètre et 30 cm (1 pi.) de longueur, et lui demander de regarder un point donné (un objet) à travers ce tube. Noter quel œil il utilise et dans quelle main il tient le tube. Présenter un tube de 1 cm (½ po.) de diamètre et de 10 cm (4 po.) de longueur, et demander à l'enfant de regarder le bout de son doigt avec ce tube. Il est important de noter l'œil utilisé, la main qui tient le tube et le doigt regardé.

— Lancer une balle ; noter la façon de lancer ainsi que la main dont l'enfant se sert. Certains enfants sont incapables de lancer avec un mouvement de bras de bas en haut ou de haut en bas. (Fig. 2.2)

— Demander à l'enfant de frapper, avec le pied, un ballon (ou une balle) placé sur le plancher, de façon que ce ballon atteigne un objet que l'on aura eu soin de déposer à une certaine distance de l'enfant. Bien noter s'il lui est difficile de viser le but.

— Avec un bâton droit (on utilisera ensuite un bâton de hockey, en tenant compte du droitier et du gaucher), lancer la balle vers un but ; noter exactement la position et l'action de l'enfant.

— Marcher à quatre pattes ; bien observer la main et le genou de départ.

— Monter puis descendre d'une chaise ; noter le pied de départ.

Il est fort possible de rencontrer plusieurs cas d'ambidextrie. On sera naturellement obligé d'employer des exercices du même type et d'établir le côté dominant. Œil, main et pied d'un même côté doivent être dominants, soit neuro-physiologiquement plus forts que de l'autre côté.

Le miroir (renversement des figures)

Dans les premiers temps du développement graphique, le phénomène de renversement d'un symbole ou d'une figure n'est pas significatif. Après 2 ou 3 ans de manipulation grapho-motrice, ce phénomène devrait être bien intégré et réglé autour de 8-9 ans.

— Debout, bras en avant, mouvements giratoires des deux bras dans un sens puis dans l'autre. (Fig. 2.3)

Fig. 2.2   Fig. 2.3

— Assis, bras sur le côté, mêmes mouvements.
— Assis sur une chaise, même exercice avec les jambes.
— Tracer un cercle au tableau avec la main dominante. Changer la craie de main et tracer un cercle avec la main non dominante.
— Tracer un premier cercle vers la droite et un second dans le sens opposé.

Activités bilatérales

— Tracer deux cercles avec chacune des mains, en même temps et dans le même sens. Demander à l'enfant de s'approcher très près du tableau et de le toucher avec son nez. À cet endroit, le professeur trace une croix (×).

Demander à l'enfant de fixer le point et de tracer des cercles avec ses deux mains (environ 15 fois). L'enfant ne doit pas tenir la craie comme il tient son crayon, mais bien la pointe vers le haut afin d'impliquer des mouvements globaux.

— Reprendre l'exercice avec des éponges.

— Varier la dimension des cercles.

— Varier les mouvements (vers la gauche, vers la droite).

— Dessiner un cercle ; la moitié avec la main droite et terminer la figure avec la main gauche.

— Reprendre en intervertissant le rôle des mains.

— Reprendre l'exercice en dessinant une croix, puis un carré, un rectangle, un triangle, un losange, le chiffre 8, etc.

— Reprendre l'exercice en se servant de cadres de carton de formes et de grosseurs différentes. L'enfant en tracera le contour avec la main droite, puis avec la gauche.

— Le professeur fait des points sur le tableau, que l'enfant doit relier entre eux afin d'obtenir diverses figures.

Il sera souvent nécessaire de tenir les bras de l'enfant pour l'aider à dessiner ces cercles dans une même direction, les deux mains à la fois.

L'enfant continue cet exercice jusqu'au contrôle parfait d'une main, de l'autre, puis des deux ensemble, dans une même direction.

— Reprendre les mêmes exercices en travaillant sur des feuilles de papier (placées sur un chevalet) et de la peinture.

— Reprendre ces exercices, mais l'enfant assis à son bureau ; il utilise un crayon de cire, puis un crayon de couleur et enfin un crayon à mine.

— Marcher à quatre pattes, en attachant ensemble, avec un élastique, la jambe droite et le bras droit qui devront se déplacer en même temps. (Fig. 2.4)

Droite, gauche

Lorsque l'enfant n'est pas encore capable de différencier la droite de la gauche, il est bon de placer un ruban ou un bracelet de même couleur à la main et au pied (ou à la jambe) d'un même côté. Indiquer alors à l'enfant que le côté qui porte le ruban (ou le bracelet) rouge, par exemple, est le côté droit.

Fig. 2.4

— Donner quelques consignes aux enfants :
  – toucher le plancher avec la main droite ;
  – lever le pied gauche ;
  – toucher le pied droit avec la main gauche, etc.

— Découper dans du papier des mains approximativement de la grandeur de celles des enfants (environ six mains droites d'une couleur et six mains gauches d'une autre couleur). Les coller au mur en alternant mains droites et mains gauches. L'enfant place ses mains alternativement sur les unes et sur les autres en disant « droite », « gauche ».

— Même exercice par terre où l'on aura collé des dessins de pieds. Varier la direction des mains, des pieds, groupez-les sans respecter l'alternance des couleurs. Augmenter progressivement la difficulté de l'exercice.

— Se placer devant le groupe, faire un geste et demander aux enfants de le reproduire. Ils devront nécessairement renverser ce geste, c'est-à-dire ne pas faire comme s'ils étaient devant un miroir. Faire l'expérience devant un miroir.

— Placer un enfant derrière un écran et lui donner des consignes précises. Varier la position de l'enfant derrière l'écran. Les observateurs auront à deviner les mouvements et à identifier le côté qui a agi.

— Montrer des photos de personnes et d'animaux en action, et demander à l'enfant d'identifier l'action, puis de la reproduire.

On doit aussi apprendre aux enfants à faire la distinction entre la droite et la gauche des différentes parties du corps telles que les oreilles, les doigts, les orteils, les épaules, les coudes, les genoux, les poignets, etc.

— Suivre le professeur en marchant directement derrière lui, en file indienne, et faire exactement la même chose que lui.

— Les enfants répètent après le professeur qui nomme chaque partie du corps. *Le rythme a un rôle très important.* Taper de façon rythmique avec la main et avec le pied.

— L'enfant est assis par terre ; placer des objets à droite, à gauche, en avant, derrière lui. Reprendre le même exercice, debout.

— L'enfant est debout ; lui demander de pencher le corps à droite, à gauche, vers l'avant et vers l'arrière. (Fig. 2.5a et 2.5b)

— Donner des directives pour que les enfants se placent à droite ou à gauche de la chaise, du bureau, d'un camarade, d'un objet, etc. (Fig. 2.6)

— Même genre d'exercices en employant cette fois des cerceaux (dedans, à côté, etc.).

Fig. 2.5a   Fig. 2.5b

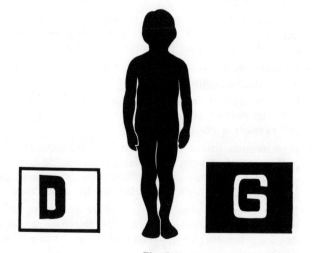

Fig. 2.6

— Demander à l'enfant de décrire oralement la position qu'occupent les différents objets et les personnes, par rapport à lui.

Jeux et activités diverses

— Donner des consignes simples : lever la main droite, avancer le pied gauche, etc.
Puis, plus complexes :
- lever la main droite et le pied gauche ;
- faire des croisements : porter la main gauche à l'œil droit, la main droite à l'oreille gauche, etc.
— Faire le contraire de ce que l'on demande. Par exemple, la consigne est : lever la main droite ; l'enfant doit lever la main gauche, etc.

Associations

— Dans une immense boîte, placer des gants, des souliers, des mains en papier ou en carton, des contours de pieds, des morceaux de vraie poupée ou de poupée en carton qui s'assemblent (comme dans un jeu de puzzle). L'enfant doit rassembler tout ce qui est côté droit, puis gauche, tout ce qui appartient au haut du corps, au bas, etc.
— L'enfant découpe le contour de quatre personnages différents. Après avoir bien identifié les parties de chacun d'eux, l'enfant devra découper les mains, les bras, les jambes, etc.
— Mélanger les morceaux que l'enfant devra identifier et rassembler.
— L'enfant colle ces morceaux sur un carton, comme il lui plaît, dans la direction et à l'endroit de son choix (genre «*poster* psychédélique»), puis il raconte ce qu'il a fait et ce qu'il voit.
— L'enfant doit trouver le côté droit et le côté gauche des animaux, des voitures, des trains, etc.
— Lui faire remarquer que son bureau, la table, la chaise, etc., ont aussi des pattes qui sont à droite ou à gauche selon sa position par rapport à ces objets.
— Prendre une image représentant un personnage, debout de préférence, de 90 cm (3 pieds), au moins, de haut. Tracer le contour du sujet au moyen d'une mince couche de plasticine. L'enfant, les yeux ouverts, identifie les différentes parties.
— Même exercice avec une image représentant un animal. Reprendre en se servant du jeu « *Pin the tail on the donkey* » (jeu de l'âne). Les enfants, les yeux bandés, auront à placer la queue de l'animal au bon endroit.

La méthode Frostig (voir dans série « relations spatiales ») offre des exercices spécifiques. Il existe aussi des jeux de cartes éducatifs qui proposent une nouvelle façon d'étudier les relations spatiales.

Anatomie et concept du corps

Le corps se meut comme un tout qui représente la somme de ses différentes parties.

Il s'agit d'amener l'enfant à nommer, à identifier les parties de son corps ; nous recommandons fortement de lui faire faire cet exercice avec l'appui d'une chanson. On peut se servir des cahiers et des disques de la collection *Sesame Street* ou encore du disque de Robins et Ferris dans la collection « Rythmique éducative ». Utiliser un morceau de musique, dans une mesure à deux temps (polka, marche, etc.).

— Prise de conscience de la symétrie du corps : l'enfant chante ou récite qu'il a deux yeux, deux narines, deux bras, deux mains, deux jambes, deux pieds, etc. L'enfant doit être capable de localiser ces parties du corps sur lui-même puis sur les autres, sur des photographies puis sur les animaux.

— Prendre une affiche ou une grande photo représentant un enfant, et délimiter le contour du corps avec de la plasticine. Les yeux bandés, l'enfant doit être capable d'identifier les différentes parties du corps.

— Un enfant se couche sur une grande feuille de papier, sur laquelle le professeur dessine le contour du corps de l'enfant. Puis on reprend avec les autres enfants.

— L'enfant, par la suite, dessine ses os, ses organes, etc. Le jeu « opération » permet d'ajouter une dimension de coordination « œil-main ».

— L'enfant apprend à différencier la gauche de la droite.

La tête et le cou

Matériel : une lampe de poche, un tapis. Ces exercices peuvent très bien se faire en groupe.

— *Tête.* L'enfant est couché sur le dos, les jambes bien droites, les mains de chaque côté du corps, il doit être complètement détendu. Diriger la lumière de la lampe vers le plafond. L'enfant doit d'abord fixer la tache de lumière sans bouger ni la tête, ni le corps. On déplace la lumière au plafond selon une ligne horizontale de gauche à droite (5 fois) puis selon une ligne verticale. On peut aussi dessiner un carré, puis reprendre la même démarche pour le cercle et le triangle. L'enfant doit suivre des yeux la tache de lumière (comme si c'était une mouche) sans bouger la tête ni le corps. Amener l'enfant à réaliser que les yeux font parties de la tête et aussi le nez, la bouche, les oreilles, les cheveux, les sourcils, le front, le menton, etc.

— Même exercice avec une balle, une pomme ou un objet rond suspendu à un fil au centre de la pièce. L'enfant y touche avec le front, le nez, le dessus de la tête, etc...

— Reprendre ces exercices en demandant à l'enfant, cette fois, de suivre avec un mouvement de la tête, puis de placer ses mains sur son cou pour en suivre le mouvement et décrire ce qu'il ressent.

— Introduire des mouvements rythmés vers la droite, vers la gauche avec les mains de l'enfant placées sur son cou.

Matériel : métronome, tambourin.

L'intérêt des exercices suivants est d'apprendre à l'enfant à « freiner » ses mouvements sans difficulté. Vérifier en tout temps la détente du corps (tonus musculaire).

— *Cou.* L'enfant est couché sur le dos, jambes droites, bras le long du corps. Il soulève la tête pendant 4 à 5 secondes (compter ou utiliser le tambourin). (Fig. 2.7)

Fig. 2.7

— Il soulève puis baisse la tête (5 fois). Il suit le métronome, dont la vitesse du mouvement diminue progressivement.

— *Exercices rythmés* (rythme à deux temps sur le tambourin). Tourner la tête à droite, revenir, à droite, revenir, etc. La même chose en tournant la tête à gauche (rythme à 4 temps). Enchaîner les mouvements précédents : à droite, revenir, à gauche, revenir.

— Refaire ces 5 exercices, l'enfant couché sur le ventre.

— Les marionnettes faites de tissu léger et couvrant la main entière peuvent s'utiliser dans les exercices portant sur l'articulation du poignet.
Il existe aussi des marionnettes qui couvrent strictement chaque doigt.

— Demander à l'enfant de projeter différentes silhouettes sur le mur en se servant de ses doigts, de ses mains et même de ses bras (jeu des ombres chinoises — il faut une source lumineuse).

— Dessiner ou peindre des visages sur les mains, sur les doigts (l'articulation du pouce peut servir de bouche, etc.) et faire des mises en scène, les doigts représentant des marionnettes. Ceci amène à la distinction bras-main.

Lancer

L'enfant doit d'abord pouvoir se familiariser avec les différents poids, formes et textures des objets qu'il aura à lancer : objets en éponge, en bois, en caoutchouc, en plastique, etc., afin de pouvoir juger et prévoir la portée de ses lancers. La distance du lancer sera graduellement augmentée.

— Demander à l'enfant de lancer avec un mouvement de bas en haut, puis de haut en bas.

— Lancer des petits sacs de sable vers un but déterminé (le bord d'un mur, une marque sur le plancher) ou vers une personne qui devra les attraper.

— Lancer des petits sacs de sable vers une planche perforée. Lancer libre au début puis de plus en plus structuré et vers un but (perforations) spécifiques (perforations) : formes géométriques, animaux, etc.).

— Lancer du papier chiffonné vers le panier placé dans un coin de la pièce.

— Placer le long du mur, à quelque distance de celui-ci, des cartons de lait vides ; lancer une balle sur les cartons (bowling).

— Placer les cartons à différents endroits dans la pièce ; lancer une balle légère, puis une balle plus dure, etc.

— Enlever le dessous et le dessus d'une boîte ; lancer une balle à travers la boîte.

— Lancer des objets de formes différentes (ballon de football, javelot).

— Lancer des objets de poids différents et faire observer à l'enfant le principe de la chute des corps.

— Se tenir sur une jambe et exécuter divers types de lancer.

Bras

L'enfant doit être capable d'identifier la gauche et la droite. Des points de repère tel que deux couleurs différentes tracées sur les mains, ou encore les contours découpés et collés au mur.

Matériel : tambourin, métronome, disque de valse ou de polka.

— L'enfant est couché sur le dos, bras le long du corps. Demander à l'enfant de lever le bras droit à la hauteur de son épaule, il dessine ainsi un angle droit. Battre une mesure à 2 temps. Puis il refait le même exercice en quatre temps, puis en cinq temps. Recommencer avec le bras gauche puis avec les 2 bras ensemble. (Attention à la coordination.) (Fig. 2.8)

Fig. 2.8

— Mêmes exercices sur le ventre.
— L'enfant couché sur le dos, bras le long du corps, doit lever le bras droit verticalement, (employer le terme « en l'air » plutôt que « vers le plafond » afin d'éviter la tension dans le bras), puis le baisser. (Mouvement à deux temps, puis à trois temps, puis à cinq temps).
— Mêmes exercices avec le bras gauche, puis avec les 2 bras.

Articulations. Pour tous les exercices précédents, l'enfant a dû se servir de ses bras sans en distinguer les parties. L'éducateur devra reprendre le même genre d'exercices, dans le dessein cette fois de faire prendre conscience des articulations des épaules, des coudes, des poignets et des doigts. Ces exercices s'exécutent d'abord couché, puis debout.

— Demander de tracer un cercle avec le bras droit, puis avec la main sans bouger le bras, puis avec les doigts sans bouger la main. Introduire les notions de « petit cercle » et de « grand cercle ». Même chose en traçant un carré, un triangle (petit, grand) et des lignes diverses brisées ou droites. Mêmes exercices avec le bras gauche puis avec les deux bras (guider la coordination).
— Dans la même position, demander à l'enfant de bouger la partie supérieure, puis inférieure de son corps sans bouger l'autre partie. (Fig. 2.9, 2.10)

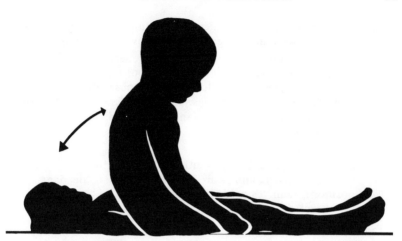

Fig. 2.9

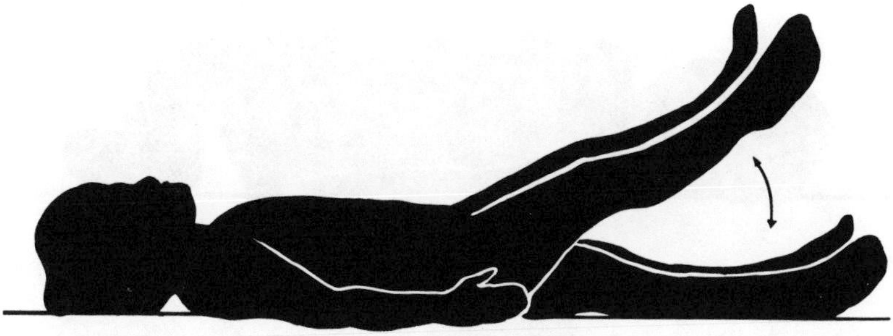

Fig. 2.10

Tronc

Ces exercices sont difficiles. À ce niveau, l'important est toujours la prise de conscience des différentes parties du corps. Il est préférable d'employer un métronome plutôt qu'un tourne-disque.

— L'enfant est couché sur le dos, les jambes droites, les bras le long du corps. Il doit être bien détendu.

— Demander à l'enfant de rouler sur le côté droit puis de revenir sur le dos.

— Même exercice à gauche.

Donner l'exemple du serpent

Si nécessaire, on devra lui tenir la tête (ou les jambes) afin d'empêcher les mouvements du corps entier.

— Genoux pliés, pivoter de droite à gauche la partie inférieure du corps en gardant les épaules clouées au sol. On peut permettre à l'enfant de tenir ses genoux avec ses mains. (Fig. 2.11)

— Demander à l'enfant de s'asseoir sans se servir de ses bras ni de ses mains. La tête devrait se lever d'abord, suivie des épaules. Très souvent, les muscles du dos ne sont pas suffisamment forts pour cet exercice: retenir les jambes de l'enfant, lui tendre la main ou une canne (les enfants peuvent s'aider entre eux). (Fig. 2.12)

— Répéter l'exercice.

— Mêmes exercices sur le ventre: rouler à droite/ à gauche, bouger la partie inférieure du corps (plus facile dans cette position), tenir les pieds pour que l'enfant se balance comme un cheval de bois. (Fig. 2.13)

Fig. 2.11

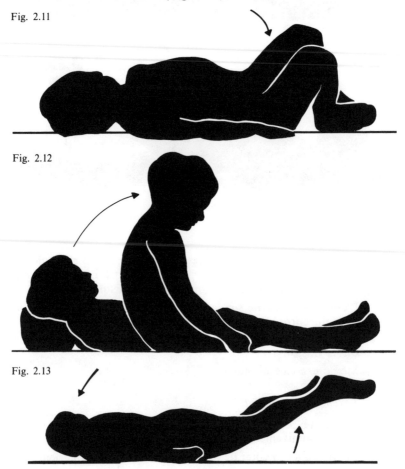

Fig. 2.12

Fig. 2.13

— Amener l'enfant à la conscience que son tronc se divise en une partie supérieure, le thorax et une partie inférieure, le bassin. Debout les mains sur les hanches l'enfant tourne vers la droite, vers la gauche. Le TWIST-O qui se vend en tant qu'instrument d'exercices et se compose d'une planche rotative, peut également servir pour les enfants qui ne présentent pas de difficulté d'équilibre.

La voix

À l'aide d'un magnétophone, on apprend à l'enfant à reconnaître sa propre voix ainsi que celle de ses camarades (on fait entendre les cris, les pleurs, etc.).

— Les enfants doivent s'identifier lorsqu'ils dialoguent avec l'éducateur ou un autre enfant et lorsqu'ils racontent une courte histoire personnelle. On demande à des enfants de dire quelques mots ou quelques phrases; après plusieurs jours les enfants écoutent l'enregistrement et doivent se reconnaître.

— Lorsque les enfants ont acquis cette habileté, on leur fait lire un court texte (environ 10 secondes chacun).
Il ne s'agit pas de s'adresser au groupe, mais bien à chaque individu qui devra se reconnaître à l'intérieur du groupe. De la même façon on enregistre la toux, le bruit des pas et tous les bruits et sons possibles. Le professeur se limitera à la reconnaissance sensorimotrice de la voix, puisque des exercices plus spécifiques sur la voix seront proposés dans le chapitre traitant de la perception auditive.

Muscles

Il s'agira de faire faire une prise de conscience du système musculaire. Demander à l'enfant de bien étirer le bras et de serrer le poing très fort. Ceci pour environ 10 secondes. Puis de relâcher et laisser subitement le bras. Faire note de l'extension et du relâchement des muscles du bras et de la main. Reprendre avec la jambe.

Jambes

La gauche et la droite doivent être reconnues et les mêmes techniques que pour les mains sont suggérées c'est-à-dire un indice de couleur à chaque pied tel qu'un ruban ou encore des tracés de pieds placés au plancher. Refaire les mêmes exercices que pour les bras. Reprendre avec l'enfant assis sur une chaise ou sur une planche, les jambes pendantes. Les pieds ne doivent pas toucher le plancher. Il est évident que ces exercices sont beaucoup plus difficiles. Il sera important d'éviter de placer l'enfant dans une situation d'anxiété ; il faudra veiller à ce qu'il soit toujours détendu.

Les chevilles et les orteils. Demander à l'enfant (couché sur le dos, sur le ventre, puis assis) de tracer un cercle avec son pied. Assis, il se penche et, plaçant ses mains sur ses chevilles, il prend conscience du travail des muscles ; il doit pouvoir « sentir » ce travail.

— Demander à l'enfant de remuer ses orteils, d'abord dans ses souliers, puis sans souliers, et enfin sans chaussettes. Un sac de papier sur chaque pied rendra l'exercice plus amusant.

— Demander à l'enfant de ramasser des billes avec ses orteils et de les déposer dans un bocal.

Chaque exercice devra être modifié afin de répondre aux besoins individuels de chaque enfant. De la musique qui incite au calme et à la relaxation pourrait accompagner ces exercices.

Équilibre

La notion d'équilibre fait appel au concept d'égalité et implique la symétrie par rapport à un axe donné. L'enfant devra être amené à prendre conscience d'une médiane imaginaire qui sépare son corps en deux parties égales. Toute asymétrie des parties impliquées détruira l'équilibre et entraînera la recherche d'un nouvel équilibre.

Faire comprendre à l'enfant la notion d'équilibre par des démonstrations simples, à l'aide d'une balance ou en procédant aux expériences suivantes :

— Tenir des livres ou des boîtes en équilibre sur la tête, ou encore dans les mains ou sur le dessus de la main, etc.

— Marcher en tenant dans la main un niveau de menuisier ou deux verres d'eau, ou bien en tenant dans la bouche, une cuillère contenant un sou ou un bonbon.

Matériel : un petit sac de sable ou de fèves assez lourd, mais bien maniable.

— L'enfant est couché par terre ; tenir le sac en équilibre sur différentes parties du corps.

— Dans la même position, lancer le sac en l'air, le rattraper. Recommencer cet exercice, assis, à genoux puis debout.

— Faire passer le petit sac par-dessus, par-dessous ou entre différentes parties du corps.

N.B. Les activités de groupes sont beaucoup plus faciles à réaliser avec un petit sac de sable (ou de fèves) qu'avec une balle.

— L'enfant se tient bien droit sur ses deux jambes, les yeux ouverts, les bras tombant droit de chaque côté du corps; observer s'il y a tension, balancement, piétinement, etc.

— Reprendre cet exercice dans la même position, mais les deux mains croisées sur la poitrine. Ensuite les mains croisées derrière le dos, les mains sur la tête. (Fig. 2.14a)

— Répéter les mêmes consignes les yeux fermés.

— Répéter les mêmes consignes, mais cette fois sur la pointe des pieds (on peut compter tout haut jusqu'à 10).

— Reprendre debout sur une jambe. On peut permettre que la jambe soulevée s'appuie sur l'autre. Compter d'abord jusqu'à 5, puis graduellement prolonger la durée sur chacune des jambes. Peu à peu, l'enfant n'a plus besoin de s'appuyer sur l'autre jambe. Lorsque les enfants sont très jeunes, on peut présenter cet exercice comme un jeu par exemple celui du grand oiseau le héron. (Fig. 2.14b)

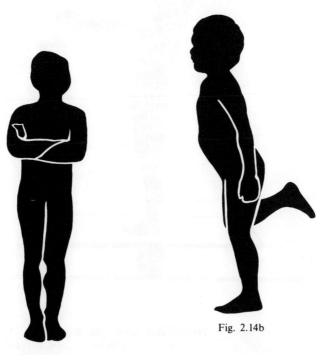

Fig. 2.14b

Fig. 2.14a

— Sous une planche d'environ 60 cm × 90 cm (2 × 3 pieds),
fixer une petite boîte de 5 cm × 10 cm (2 × 4 pouces).
L'enfant doit se tenir debout, en équilibre, sur cette planche.
Varier cet exercice: bras levés, bras en avant, en arrière, les
yeux fermés, un objet sur la tête, un objet dans les mains, une
cuillère dans la bouche, etc. (Fig. 2.15)

— Mêmes exercices, mais au lieu d'un petit rectangle, fixer un
demi-cercle sous la planche.

Un repos d'une vingtaine de secondes est nécessaire entre chacun des
exercices ou chaque partie d'un exercice.

Matériel: tambourin, métronome, musique de piano ou
d'orgue.

— Marcher sur la pointe des pieds en avant, en arrière. Compter
jusqu'à 10. Marquer le temps en battant avec les mains puis
quand le rythme est acquis, se servir du tambourin et enfin du
métronome.

Fig. 2.15

— Courir sur la pointe des pieds en avant, en arrière. Puis
marquer le temps avec les instruments, en suivant la même
progression que pour la marche.

— Mêmes exercices, accroupi, les bras croisés en avant, puis en arrière, puis sur la tête, puis les yeux fermés. Pour les très jeunes enfants, présenter comme un jeu imitant la démarche de certains animaux (canards, etc.).

— Dans la même position, avancer en sautant (comme la grenouille, le lapin, etc.). Varier la position des mains.

— Jeu de la marelle (tracer les lignes au moyen d'une craie ou d'un ruban adhésif noir).

— Marcher, un pied touchant le talon de l'autre, en suivant une ligne droite, puis brisée, puis courbe.

— Reprendre en marchant sur les talons.

— Reprendre en marchant sur le côté des pieds.

Matériel : une planche d'environ 2,40 m à 3 m (8 à 10 pieds) de long et 20 cm (8 pouces) de large.

Placer la planche par terre. L'enfant doit marcher en avant, à reculons ; marcher plus rapidement, marcher de côté, vers la droite puis vers la gauche (en crabe). Marcher en plaçant un pied immédiatement devant l'autre (les orteils d'un pied touchent le talon de l'autre). Répéter ces exercices les yeux fermés ou bandés.

— Enfin ajouter les variantes rythmées avec mains, tambourin, métronome et musique.

— Reprendre ces exercices en utilisant des planches de plus en plus étroites (12,5 cm [5 po.], puis 10 cm [4 po.]). Rythmer avec le tambourin, le métronome ou de la musique appropriée.

Matériel : le même que précédemment, mais la planche doit être plus large (20 cm [8 po.]).

Placer la planche en plan incliné, en augmentant progressivement l'inclinaison. Commencer à 10 ou 12,5 cm (4 à 5 po.) du plancher. (*Voir* fig. 1.22)

Raconter (faire imaginer) à l'enfant qu'il est un équilibriste de cirque. Lui faire tenir une barre de 1,80 m environ (6 pieds), assez mince pour qu'il puisse imiter les équilibristes.

Reprendre les variations de l'exercice précédent. Introduire des numéros d'équilibriste : marcher jusqu'au milieu de la planche, s'arrêter, revenir à reculons.

— Marcher sur le côté en tenant un objet sur la tête. Marcher en avant ou à reculons, en s'assurant que l'orteil d'un pied touche le talon de l'autre. Marcher jusqu'au milieu de la planche, s'accroupir, se relever et marcher vers l'autre extrémité. Marcher les yeux fermés ou bandés. Marcher en tenant la main d'un camarade. Marcher à quatre pattes. Marcher en tenant un niveau dans sa main.

Avancer comme la grenouille ou comme la chenille, etc.

Matériel : grosse échelle de corde (type de celles utilisées par l'armée).

Placer cette échelle au mur et demander à l'enfant de grimper. Cet exercice obligera l'enfant à chercher à nouveau son point d'équilibre.

Suspendre l'échelle au plafond. L'enfant devra grimper sans le soutien du mur.

Matériel : deux grosses boîtes de conserve vides et corde (voir description p. 32). Métronome ou musique. (Fig. 2.16)

— Se tenir debout un pied sur chaque boîte en tenant la corde. Marche libre.

— Marche en ligne droite, en ligne courbe, en avant, en arrière, de côté.

— Varier éventuellement la longueur de la corde.

Fig. 2.16

— Marcher avec des échasses en augmentant la hauteur.

— La bicyclette est un excellent exercice d'équilibre. Il est recommandé de faire monter l'enfant si possible sur un monocycle.

— Le patin à glace ou le patin à roulettes sont des jeux qui permettent d'acquérir un meilleur sens de l'équilibre.

— La pratique du « twist » (danse populaire il y a quelques années) sur un pied, sur l'autre ou les deux, ou encore la planche « Twist-O » (vendue dans le commerce pour les exercices d'assouplissement) sont aussi recommandés.

— Reprendre le « twist » en équilibre sur un bloc formé par une boîte de carton ou de bois (ce bloc doit être assez large et assez lourd pour que l'enfant ne risque pas de tomber). Introduire différentes activités des mains.

— Varier la hauteur du bloc. On peut y ajouter les exercices destinés à donner les notions de haut, bas, devant, derrière.

— Construire des échafaudages de boîtes sur lesquelles l'enfant devra grimper et se tenir en équilibre. (Fig. 2.17)

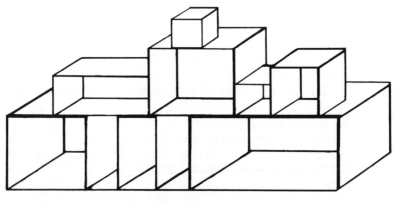

Fig. 2.17

Coordination des jambes : chacune des jambes doit effectuer alternativement le même déplacement spatio-temporel.

> *Matériel :* quelques marches d'escalier, qui montent d'un côté et descendent de l'autre, et sont reliées par une plate-forme. (Fig. 2.18)

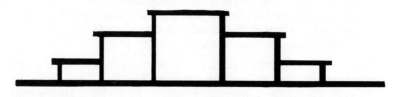

Fig. 2.18

— Monter et descendre correctement les marches un pied après l'autre. Les yeux ouverts, puis les yeux fermés.

— Monter les escaliers de côté (côté dominant de l'enfant puis côté non dominant). Monter puis descendre à reculons.

— L'enfant est assis sur le bord d'une chaise ou table (les pieds ne doivent pas toucher le plancher) et on lui demande de lever une jambe après l'autre avec précision et coordination.

— Reprendre en demandant à l'enfant de lever le bras droit en même temps que la jambe droite puis de même pour le côté gauche.

— Reprendre en alternant bras gauche/jambe droite et le contraire.

Organisation spatio-temporelle: il faut montrer à l'enfant que son corps occupe une certaine place dans l'espace et qu'il y exerce un contrôle. Les déplacements y sont vécus en tant que séquence temporelle.

— Se faire tout petit, s'accroupir en petite boule, ensuite se faire très très grand, se faire très large, puis se faire très mince.

— Jeu de la graine (cf. chap. 1, p. 14). (Prise de conscience du plan vertical.)

— Jeu de l'ascenseur.
L'enfant fait comme s'il était un ascenseur. Il doit en imiter les mouvements. Si les conditions le permettent, il est évident qu'on peut autoriser l'enfant à grimper sur un arbre pour lui permettre l'expérience et la découverte de l'espace en hauteur. Ajouter toutes sortes de variations possibles: s'arrêter au deuxième étage, faire descendre des gens, etc.
Différents jeux de pantomimes peuvent servir; il s'agit de créer une situation à laquelle l'enfant pourra répondre par l'expression corporelle non verbale (ex.: voyage en autobus).

— Grimper sur un objet quelconque pour être plus grand que son camarade.

— Placer très haut un objet, et demander à l'enfant de trouver un moyen pour aller le chercher. Il devra se servir des objets ou accessoires dont il dispose pour s'en faire une sorte d'escabeau qui lui permettra de surmonter cet obstacle que constitue l'espace dans le plan vertical.

— Prendre différentes positions reproduisant tour à tour des animaux, des objets, des activités humaines, etc. Pour les exercices sur les différentes positions du corps, il est conseillé de suivre les programmes Frostig ou ceux de Kephart.

Organisation du corps dans l'environnement spatial

Marche libre

— L'enfant se promène simplement à travers la classe en prenant soin de ne heurter ni ses camarades ni les objets qu'il rencontre sur son passage. C'est une marche complètement libre.

Marche dans le labyrinthe

— Les enfants sont placés en file indienne. Ils marchent devant le premier bureau, tournent autour, passent entre le premier et le deuxième bureau, tournent autour du deuxième, passent entre le deuxième et le troisième, etc. (Fig. 2.19)

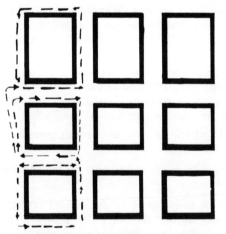

Fig. 2.19

— Même jeu, mais les enfants se tiennent par la main. Placer les pupitres en forme de « U » puis en rangées.
— Les exercices sont repris en traçant un labyrinthe avec une corde ou des planches sur le plancher.

Course dans le labyrinthe

— Faire le vide au milieu de la pièce, pousser le mobilier le long du mur. Construire un labyrinthe avec cinq chaises. Courir le long du labyrinthe sans toucher les chaises (chronométrer si cela est possible).
— Réduire graduellement la largeur du labyrinthe, soit l'espace entre les chaises, afin d'exiger un meilleur contrôle du corps. Ensuite, prendre des chaises et divers meubles et changer leur disposition dans la pièce.

Parcours avec obstacles

— Placer au centre de la pièce 5 ou 6 objets différents (chaise, table, boîte, etc.); l'enfant doit d'abord enjamber les objets.

— Ajouter de nouvelles consignes : passer sous quelques-uns des objets, et par-dessus et autour d'autres. Puis — tout en respectant l'âge et les possibilités de chacun — les enfants passent en dessous, au-dessus, sautent, s'arrêtent, reviennent, se promènent autour des objets, etc. On peut rendre ces exercices plus complexes en demandant à l'enfant d'imiter un animal.

— Mêmes exercices, mais rythmés avec le métronome, le tambourin ou de la musique.

— Introduire le phénomène du freinage, l'enfant doit apprendre à s'arrêter en même temps que la musique, les tambours ou le métronome, la main levée, la lumière qui s'allume ou se ferme ou tout autre signe auditif ou visuel.

— Ajouter un élément plus complexe : s'arrêter avec la musique, puis revenir en arrière, ou se baisser et toucher le plancher. (Il est important de ne donner qu'une consigne additionnelle à la fois ; ne jamais dépasser trois.)

— Refaire le labyrinthe avec une corde ; marcher, courir, ramper dans ce labyrinthe.

L'espace vécu dans la position verticale est très différent de l'espace vécu horizontalement.

— L'enfant est assis par terre ; lui donner un ballon qu'il devra faire rouler autour de lui. Faire passer le ballon sous ses jambes. L'enfant est à genoux ; même exercice, mais en faisant rebondir le ballon autour de lui, d'abord lentement, puis de plus en plus rapidement.

— Mêmes exercices, assis, en y ajoutant des variantes.

— Mêmes exercices, debout, en y ajoutant des variantes.

Organisation de l'espace et orientation spatiale

La grandeur ou la petitesse de l'espace est relative à l'emploi qu'on en fait.

Matériel : des petites voitures ou un petit animal, une balle, de la corde.

— Suivre le parcours d'un labyrinthe (construit sur la table ou sur le plancher) en poussant une petite voiture, un animal ou un autre objet.

— Pousser la balle avec les pieds, puis s'agenouiller et la pousser avec les mains, avec la tête. Le labyrinthe doit être le plus simple possible.

— Exercices avec un cerceau. L'enfant le traverse, marche autour, le passe par-dessus sa tête, autour de son corps, etc. (à consulter : *Cahiers d'exercices* de R. Bolduc ou S. Naville).

— Donner à l'enfant une corde d'environ 1 m 20 de long (4 pieds) ; lui demander de tracer différentes figures sur le sol, puis de passer dedans, autour, etc.

— Demander à l'enfant de tracer des figures bizarres avec sa corde, puis de marcher sur ces figures. Lui donner une corde de plus en plus longue.

— Reprendre les activités du saut à la corde, avec déplacement dans l'espace.

— Demander à l'enfant de sauter à la corde.

— Demander à l'enfant de se placer debout en tenant une corde qu'il fera tourner ; un autre enfant devra sauter par-dessus la corde.

— Demander à un des enfants de courir en traînant la corde sur le plancher. Il s'agit pour les autres de sauter et tenter d'arrêter la corde.

— L'enfant se couche dans la neige et trace différentes figures, en glissant, avec ses bras et ses jambes.

— Faire le moulin à vent avec des mouvements alternatifs, bras et jambes, c'est-à-dire le bras droit et la jambe gauche se lèvent vers le côté, ensuite bras gauche et jambe droite, etc. Rythmer avec le métronome. Ces mouvements sont d'abord exécutés très lentement, puis leur vitesse s'accélère progressivement.

— Tenir puis rouler des bûches sur le plancher, soit debout, soit à genoux, avec les pieds, les mains, la tête, etc.

— Sur des planches munies de roulettes, demander à l'enfant de se coucher sur le ventre, la planche est carrée (environ 60 cm de côté [2 pieds]). L'enfant doit parcourir différents trajets en se poussant avec les mains.

— Placer les enfants en carré et leur demander de changer de coin (jeu des quatre coins). L'enfant apprend ainsi à en croiser un autre, ensuite il apprend à exécuter des figures plus complexes (en forme de V, par exemple).

— Variations sur des danses folkloriques de type canadien, écossais, russe, etc.

— Donner un nom différent à chacun des quatre murs. Courir et se placer devant le mur dont on crie le nom. Pour varier cet

exercice demander à l'enfant de se placer le dos au mur, puis de côté.
— Jeu de quilles (en remplaçant les quilles par des bouteilles ou des boîtes).

Tremplin *

Il est évident que l'enfant doit d'abord se familiariser avec les réactions de la toile du tremplin et prendre conscience de ses dimensions. Il devra, par cet exercice, développer une nouvelle organisation spatiale (voir p. 58).

Si l'enfant manifeste, dès le début ou progressivement, de l'anxiété ou une peur quelconque, les activités devront cesser immédiatement.

Cependant on ne doit pas considérer ces réactions comme des obstacles permanents. L'enfant reprendra, plus tard, les exercices au tremplin, mais pour des durées plus courtes avec un apprentissage programmé et progressivement gradué.

Le saut au tremplin

— L'enfant se place au centre de la toile, les pieds bien droits et les jambes écartées d'environ la largeur des épaules. Plier les genoux ou plutôt simplement les fléchir.
— En poussant seulement avec ses jambes, l'enfant doit lever son corps dans un plan vertical et sauter. Il retombera de nouveau les pieds écartés et les genoux fléchis. Continuer ce saut jusqu'à ce que l'enfant montre une bonne stabilité surtout lorsqu'il retombe. Les bras peuvent être tendus ou rester souples de chaque côté du corps. (Consulter les guides d'exercices spécifiques au tremplin, disponibles sur le marché.) (Fig. 2.20)

Fig. 2.20

* Voir note page 67.

— Montrer à l'enfant comment arrêter son corps (freinage). En général, les enfants tombent de tout leur poids pour s'arrêter.

— Contrôler la hauteur du saut. Si cette hauteur change, l'enfant perdra son équilibre. Un saut de 8 à 10 cm (3 ou 4 pouces) de haut sur la toile est amplement suffisant. Tomber assis puis debout, assis, debout, etc.

— Retomber sur les genoux. Puis quand l'enfant aura réussi à acquérir une certaine stabilité, lui faire effectuer 15 à 20 sauts.

— Sauter sur un pied, puis sur l'autre. Sauter vers l'avant (distance très courte), puis vers l'arrière, vers la gauche, puis vers la droite.

— Sauter en faisant un quart de tour.

— Suspendre une balle au-dessus du tremplin et demander à l'enfant de la toucher en sautant (la hauteur de la balle doit être proportionnelle au saut demandé).
Pour synchroniser les mouvements et les sauts, se servir du métronome, d'un tambour, etc.

Bain *

Il est important de noter que le milieu aquatique offre énormément de possibilités de découverte de l'espace. L'organisation du corps dans ce milieu particulier est tout à fait différente.

Cependant les activités d'intégration sensorimotrice sont très difficiles dans l'eau. C'est dans cette optique que nous n'avons pas abordé l'étude d'exercices à exécuter dans l'eau. Il existe sur le marché différents manuels traitant spécialement de ces exercices.

Vitesse de réaction

Dans son environnement immédiat, l'enfant entend et voit des objets qui se déplacent à des vitesses différentes. Très tôt, il s'aperçoit qu'il peut contrôler par sa seule volonté le mouvement de ses jambes et de ses bras ; il est donc conscient d'un territoire qui lui est propre. Il pourra aussi avoir été classé dans la catégorie des paresseux, des lambins, des « démons », des dormeurs, etc.

Il est extrêmement important que l'enfant comprenne bien la différence entre les deux extrêmes : très rapide et très lent, ainsi que toutes les nuances intermédiaires possibles.

— Apprendre à l'enfant à faire la distinction entre un rythme de parole très lent et un rythme très rapide.

---

* Les exercices au tremplin et dans l'eau ne sont pas recommandés à tous les enfants.

— Un rythme à répétition, à alternance, et à progression:
ex. 00000000 – répétition
    01010101 – alternance
    000000   – progression

— Montrer l'accélération
  – au moyen d'un métronome, d'un tambour;
  – demander de taper dans ses mains (ou avec ses pieds), de plus
    en plus vite, ou au contraire, de plus en plus lentement;
  Mêmes exercices d'accélération avec des petites voitures, des
  objets qui roulent;
  Accélération dans la chute des objets;
  – laisser tomber une plume (ou une feuille de papier) en même
    temps qu'un objet plus lourd;
  – laisser tomber deux objets identiques (balles de même
    grosseur). Les faire rouler sur une surface plane puis sur un
    plan incliné: faire remarquer l'accélération.

— Faire observer l'écoulement du sable dans un sablier.

On se rend compte que chaque enfant a son propre rythme. Il s'agit de
régulariser le rythme de l'enfant.

— Demander à l'enfant de taper dans ses mains, puis sur la table.

— Reprendre avec les pieds.

— Avec seulement un doigt et en mesure (le métronome marque
  la mesure dans un mouvement très lent), toucher le nez, la
  bouche, l'œil droit, l'œil gauche, etc., toucher par terre,
  toucher le pupitre, toucher son voisin de droite, son voisin de
  gauche, etc.

— Marcher lentement d'un bout à l'autre de la pièce, puis refaire
  le même trajet rapidement.

— Même exercice en marchant à reculons.

— Reprendre sur la pointe des pieds, puis sur les talons.

— Même exercice en rampant. Compter tout haut, le temps mis
  par l'enfant ou utiliser un chronomètre.

— Mêmes exercices en fixant un temps limite à l'enfant pour
  exécuter la consigne.

On peut apporter de multiples variations à ces exercices.

— Avec un tambour, apprendre à l'enfant à répéter des séquences
  de son distribuées dans le temps.

— Puis reproduire ces mêmes séquences sur le papier.

On travaille ainsi les relations spatio-temporelles. La lenteur de la mise
en train constitue souvent un handicap pour l'enfant. Il sera donc

nécessaire de le placer dans des situations où il devra répondre le plus rapidement possible.

Il est recommandé d'employer certaines techniques behavioristes selon lesquelles l'enfant qui répond rapidement à une consigne — que l'on rendra de plus en plus complexe — est récompensé. On peut aussi suggérer les jeux « *Beat the clock* » ou « *Hands down* » (en vente dans les grands magasins).

Matériel : une horloge marquant les secondes ou un sablier de 60 secondes.

L'enfant doit accomplir une tâche motrice simple.

— Demander à l'enfant d'apporter un objet quelconque et le féliciter s'il a agi rapidement et avec précision. On poursuit les exercices de déplacement dans l'espace en augmentant le nombre des directives, par exemple, l'enfant doit aller de A à B, de B à C, etc.

— Placer un objet à un certain endroit de la pièce et demander à l'enfant de porter cet objet à deux autres endroits puis de le replacer à son lieu d'origine.

Il s'agit d'obliger l'enfant à enregistrer de multiples directives. Contrôler avec un chronomètre.

— L'enfant répète les séquences du tambour. Les messages deviennent de plus en plus compliqués (téléphone indien).

— Présenter un récipient plein de gros et de petits bonbons, demander à l'enfant de les classer selon différents critères qu'il devra mémoriser.

— Donner à l'enfant un jeu de cartes ; lui demander de classer les cartes selon la couleur puis selon le dessin. (Voir le « Deal One IN » de M. Golick).

— Mêmes exercices avec une grande variété d'objets.

— Chronométrer souvent le temps mis par les enfants ; lequel sera le plus rapidement habillé ? lequel mettra le plus rapidement ses bottes ? etc.

Jeux de groupe

— Diviser la classe en deux et donner à chaque groupe un ballon que les enfants devront se passer de l'un à l'autre.

— Multiplier les exercices de groupe.

— Demander aux enfants de construire un objet simple et récompenser celui qui a terminé le premier. On introduit ainsi l'habitude de terminer un travail le jour et à l'heure fixés.

Il s'agit d'intégrer les concepts de temps, de saisons, d'heure, d'âge, sur le plan moteur, et non l'approche théorique que nous verrons dans le chapitre des habiletés conceptuelles.

Temps

Il est important de faire comprendre à l'enfant le déroulement de l'action dans le temps. Pour cela, en se servant de catalogues, de revues, on amène l'enfant à prendre conscience du lien entre certains objets et certaines activités et le début ou la fin de la journée (c'est-à-dire le matin et le soir). Le matin, l'enfant se lève, se lave les dents, se peigne, prend son petit déjeuner, s'habille, s'en va à l'école : les photos des objets utilisés au cours de ces activités (la table, les céréales, etc.) peuvent être employées en vue de cette prise de conscience. On peut relier au soir, les vêtements de nuit, le lit, le bain, etc.

Reprendre en introduisant les séquences et la suite logique des événements simples de tous les jours. Par exemple il est impossible de prendre un verre de lait avant de sortir le lait du réfrigérateur.

Les objets évoqués sont tous reliés à des activités motrices. Ne choisir qu'une activité à la fois ; chronométrer, et tenter de la faire exécuter le plus rapidement possible. Plus ces habiletés seront raffinées, plus le temps sera réduit.

Dans la collection « Continental Press », sous le titre *Sciences*, les stencils relient le soleil et la lune (Fig. 2.21) aux notions de matin et de soir, et aux activités qui correspondent à ces deux moments de la journée. Nous conseillons d'utiliser une marionnette (ou un mannequin), comme celle du *Peabody*, que l'enfant pourrait habiller le matin et déshabiller le soir, avant de quitter l'école, pour lui mettre ses vêtements de nuit. Lorsque ces deux notions de début et de fin de journée sont bien intégrées, on introduit petit à petit les activités de la journée en situant le midi, les récréations, etc.

Fig. 2.21

Les saisons

De la même façon la notion de saison aide à définir le temps. On peut se servir de photos et de certains stencils de la collection « Continental Press » pour expliquer le rythme des saisons. Par la suite, on établira des associations avec les sports, les fêtes, les vacances et la nécessité de s'adapter à la température (changement du rythme moteur); expliquer le rôle des vêtements.

L'heure

En se servant d'une horloge de carton (ou autre) montrer à l'enfant que l'horloge sert à mesurer le temps nécessaire à une activité motrice donnée.

— Faire l'observation du sablier.

— Demander à l'enfant de faire rouler une balle et de compter tout en faisant avancer les aiguilles de l'horloge.

— Après leur avoir fait examiner un chronomètre, apprendre aux enfants à s'en servir pour calculer le temps pris par les uns et les autres pour effectuer différentes activités.

Au moyen de stencils, illustrer le fonctionnement des horloges et des montres. Enseigner à l'enfant comment lire les secondes, les minutes et les heures. Il existe beaucoup d'autres stencils sur ce sujet. Ce ne sera qu'un peu plus tard que l'enfant pourra réellement établir une relation entre l'heure marquée par l'horloge et l'heure vécue. Toujours garder en tête la continuité du temps et la conservation au sens ou par exemple une journée égale 24 heures et égale 1 440 minutes et 86 400 secondes.

L'âge

Au moyen de photos, expliquer aux enfants le moyen de différencier les jeunes des vieux, chez les humains, mais aussi chez les animaux, les plantes, les arbres, les vêtements, etc.

L'enfant doit pouvoir exprimer oralement toutes les distinctions possibles des habiletés motrices qui correspondent à chaque âge. Introduire les éléments d'histoire ; en premier lieu, l'histoire personnelle de l'enfant et de sa famille ; puis, lorsque cela est possible, l'histoire de sa ville, de sa province, de son pays ou même du monde entier. On peut à cet effet trouver beaucoup de photos qui représentent les vêtements, les habitudes relatives au passé. L'âge en tant que phénomène de temps sera vu dans le chapitre des habiletés conceptuelles.

Éducation sensorielle

Il faut s'assurer que l'enfant est capable de reconnaître les objets de différentes grandeurs, grosseurs, formes, textures, consistances, c'est-à-dire faire une étude de l'impact sensoriel.

— Mettre un masque ou un bandeau sur les yeux de l'enfant et lui présenter divers objets de différentes dimensions : billes, balles, jeux, poupée, petite auto, ballon, etc., en demandant si l'objet est gros ou petit.

— Même exercice, cette fois pour distinguer des formes : présenter des cubes, des bananes, des cintres, des brosses à dents, des livres, des balles, etc.
Il est nécessaire que l'enfant puisse reconnaître les formes géométriques de base, soit cercle, carré, triangle.

— Mêmes exercices en présentant des objets de différentes textures, comme de la fourrure, du bois, un morceau d'écorce, un bonbon mou, du velours, du papier émeri, une éponge, du papier, un cheveu, etc.

— Mêmes exercices en présentant des matières qui ont différentes consistances (sable, sucre, savon en poudre, mie de pain, sciure de bois, farine, jello, beurre d'arachides, etc.).

Il s'agit maintenant d'introduire les mots qui qualifient ces objets, et d'apprendre aux enfants les notions de dur, mou, collant, glissant, chaud, froid, etc. Pour cette initiation, leur demander de se servir de leurs deux mains et même, si cela est possible, de leurs pieds.

— Présenter un plat d'eau froide, un autre d'eau chaude, et un troisième d'eau tiède ; demander à l'enfant de décrire ce qu'il sent.

— Identifier, les yeux bandés, des animaux en plastique, des petits personnages, etc.

— Même exercice en y mêlant des lettres en plastique (scripts ou cursives), puis des nombres.

— Coller sur du carton des chiffres, des lettres et des figures. Les recouvrir, en respectant leur contour, de papier émeri, de plasticine, de velours, ou dessiner ce contour en perçant le papier ou le carton de petits trous. Demander à l'enfant d'identifier ces lettres, ces chiffres, ces figures.

— Les yeux de l'enfant toujours bandés, dessiner dans ou sur sa main, sur le bras ou sur la jambe, différentes figures et lui demander de les identifier.

— L'enfant a toujours les yeux bandés. Placer devant lui des objets de différentes formes, et lui mettre, dans la main, un de ces objets (bille, cube, etc.). L'enfant doit trouver dans la pile d'objets qui est devant lui, quelque chose qui a la même forme que ce qu'il tient dans la main.

— Placer sur une table un assortiment d'objets. L'enfant doit sur demande trouver quelque chose de doux, de rugueux, de petit, de gros, de mou, de dur, de mouillé, etc.

Matériel : plusieurs tasses ou pots remplis de sucre, sel, riz, fèves, billes, etc.

— L'enfant doit les classer dans un ordre déterminé.

— Même exercice avec des morceaux de tissu, de papier, de tapis, etc., en les classant du plus doux au plus rugueux.

— Poser des objets sur différentes parties du corps (visage, jambes, mains, etc.) et demander à l'enfant s'il ressent une sensation de chaud ou de froid.

On trouve également dans la collection « Continental Press » des stencils appelés « *Thinking skills* » qui permettent à l'enfant d'identifier ou de déterminer une relation spécifique entre deux extrêmes.

Lorsqu'il est difficile d'obliger l'enfant à garder un bandeau sur les yeux, on peut confectionner une boîte avec des trous dans lesquels l'enfant passera les mains. Il existe sur le marché un jeu appelé « *Feely meely game* », qui peut aider l'enfant dans cet apprentissage de discrimination tactile. L'utilisation de peinture au doigt est par ailleurs fortement recommandée à cet effet.

— Construire un tapis sensoriel : sur une très grande surface (environ 1,80 m × 3 m [6 × 10 pieds]) on fixe des figures de différentes formes et de différentes textures. On introduit, à cette occasion, des notions mathématiques de base, telles que grand, petit, mince, épais ; des séries, des groupes, etc. L'enfant peut alors se rouler sur ce tapis ou s'y reposer. (Fig. 2.22)

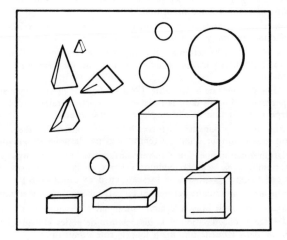

Fig. 2.22

---

* La perspective n'est pas possible sur un tapis — il ne s'agit que d'illustrer certaines épaisseurs mais c'est bien la forme qui est importante.

— Présenter un jeu de tubes thermiques (de type Montessori).

— Rassembler des objets ou des figures d'apparence similaire, mais de poids différents.

Goût et odorat

— Rassembler des bouteilles contenant des produits dont l'odeur est différente : agréable, désagréable, douce, piquante, aigre, etc. ; demander à l'enfant d'identifier chaque odeur soit en nommant le produit, soit par un qualificatif.

— Même genre d'exercice pour le goût (avec les adjectifs : bon, mauvais, doux, amer, piquant, aigre, etc.).

— Même genre d'exercice les yeux bandés. L'enfant doit identifier un produit par l'odeur et le goût de celui-ci. Faire prendre conscience du mouvement de recul devant une mauvaise odeur ainsi que des mouvements de la mâchoire devant une chose qui a un mauvais goût.

DÉFINITION DE TERMES

Bilatéralité – Lorsque les deux jambes ou les deux bras se meuvent simultanément.

Coordination – La possibilité de mouvoir, dans des séquences ordonnées, un groupe de segments par rapport au corps ou à des objets inertes ou en mouvement.

« Directionalité » – (*voir* Orientation spatiale).

Discrimination tactile – Habileté à percevoir par le toucher les propriétés particulières des personnes ou objets de l'environnement. C'est une activité motrice fine.

Dissociation – Habileté à sélectionner et à mouvoir les segments du corps dans des séquences ordonnées par rapport au corps lui-même ou à des objets inertes ou en mouvement.

Dominance – Elle provient de la latéralité. C'est le choix de performance motrice d'un côté spécifique du corps dont la force et les habiletés seraient les plus marquées. Elle dépend de l'action de l'hémisphère cérébral opposé.

Équilibre – État du corps lorsque les forces bilatérales agissent de façon équivalente. L'enfant gravite autour d'un axe central régi par le point de gravité.

Espace – Relation dimensionnelle de l'univers-surface avec tous les corps qu'il contient (l'espace moteur en général implique l'espace euclidien (en trois dimensions), tandis que l'espace graphique se présente en deux dimensions.)

Force – Énergie neuro-musculaire permettant au corps d'agir dans une situation donnée.

Homolatéralité – Lorsque le bras et la jambe du même côté se meuvent simultanément.

Lancer – Nécessite la coordination et la dissociation de gestes globaux. Une fonction bimanuelle dans laquelle une main joue le rôle dominant.

Latéralité – C'est le concept du côté droit et du côté gauche du corps (la connaissance) et l'habileté motrice qui permet de contrôler ces deux côtés simultanément ou séparément.

Latéralité croisée – Lorsque le bras et la jambe des côtés opposés se meuvent simultanément.

Miroir – Renversement des formes ou signes soit à la réception soit à l'émission visuo-motrice (ce renversement se manifeste souvent dans les cas d'ambidextrie).

Motricité fine – Terme qui définit les habiletés des muscles délicats ou fins nécessitant beaucoup de précision (employé généralement pour les activités de la main).

Multilatéralité – Lorsque les deux jambes et les deux bras se meuvent simultanément.

Organisation spatiale – Le corps doit pouvoir se déplacer (totalement ou partiellement) dans l'espace à trois dimensions aussi bien que dans l'espace à deux dimensions, compte tenu des multiples obstacles rencontrés au passage.

Orientation spatiale – Possibilité de s'orienter, de s'organiser par rapport aux exigences de l'espace parcouru (exploration motrice de l'espace).

Posture – L'attitude générale ou la position du corps par rapport à une ligne médiane (corps vu de face et de côté).

Rythme – Phénomène moteur qui consiste en une succession d'intervalles de temps réguliers marqués par des « perceptions-repères » périodiques comportant l'alternance de deux mouvements. (Structuration spatio-temporelle, durée, intensité et plasticité.)

Schéma corporel – Prise de conscience (connaissance) du corps comme un ensemble de segments moteurs qui se meuvent dans l'espace, indépendant de tout « objet » environnant de par sa structure et sa fonction (la fonction des segments en relation avec le corps considéré comme un tout).

Structuration spatiale – Nécessité de partager, c'est-à-dire de réorganiser l'espace par rapport au corps, puis par rapport aux objets fixes et mobiles. (Associations par lesquelles les gestes et mouvements réussiront à s'adapter à l'espace.)

Temps – La possibilité de mesurer le mouvement selon l'avant et l'après, ce qui implique la notion de durée.

Vitesse de réactions – Habileté à répondre et à passer rapidement à l'exécution de consignes simples ou complexes. La mise en train et la fatigabilité influencent ce rendement par rapport au temps et à l'espace graphique ou moteur.

SUGGESTIONS DE MATÉRIEL ET DE JEUX

Balles et ballons

Bâtonnets

Boîtes de conserve vides (pour jeux de marche sur ces boîtes)

Cerceaux (différentes grandeurs)

Chronomètre

Cloches, tambour, sifflets, etc.

Corde à sauter (simple et grande)

Cordes et ficelles

Couverture, draps

Disque de Dent (anglais, avec ou sans paroles)

Disques de Mafex (anglais, avec ou sans paroles)

Disques de morceaux de musique de rythmes différents

Disques de Robins et Ferris (français ou anglais)

Disques des bruits de l'environnement (voir *Peabody* ou D. L. M. ou Mafex)

Disques des cris d'animaux (voir *Peabody* ou D. L. M.)

Disques du « Sesame Street » (anglais, avec paroles)
Échasses en bois
Échelle en bois et en corde
Exercices Frostig de schéma corporel
Figures géométriques bidimensionnelles de différentes textures
Figures géométriques tridimensionnelles de différentes grosseurs
Jeu de hockey
Jeu de magie (trucs)
Jeu de visée
Jeu « Operation »
Jeu « Tip-it »
Jeux avec sacs en papier ou en toile
Jeux « Beat the clock »
Jeux de constructions diverses
Jeux de « Finger-magic » (motricité fine)
Jeux « Hands down » (vitesse de réactions)
Jeux de marelle
Jeux de mécano
Jeux de pistes pour voitures ou autres
Jeux de sauts avec ressorts
Jeux de « Twister » (latéralité)
Lunettes avec perforation à un œil ; avec perforation aux deux yeux
Lunettes avec un œil caché
Masque ou foulard pour couvrir les yeux
Matériel Montessori
Métronome
Papier à dessin de différentes sortes et grandeurs (crayons, peintures, etc.)
Papier mâché (exercices de)
Passage ou tunnel
Patins à glace ou à roulettes
Planche d'équilibre
Planche munie de roulettes
Pneus d'automobile
Poupées Barbie ou G. I. Jo, dont les membres se plient et se meuvent
Stencils de D. L. M. (*Developmental Learning Materials*) de « Body Concept »
Tapis pour exercices couchés
Tapis sensoriel (représenter sur le sol ou sur un tapis différentes figures et dans
      différentes textures)
Tennis de table
Vêtements appropriés

BIBLIOGRAPHIE

A. En français

ABADIE, M. et M. L. MADRE, *Comment faire ?... l'Éducation rythmique*, Paris, Nathan, « Comment faire ? ».

AJURIAGUERRA, J. de, *Indication et techniques de rééducation psychomotrices*.

AJURIAGUERRA, J. de et H. HECAEN, *les Gauchers*, Paris, PUF, 1963.

ALVIN, J., « Influence de la musique sur l'enfant inadapté », *Enfance*, 1956.

ALVINI, F., *Troubles de l'identification et image corporelle*, Paris, PUF, 1961.

AUREL, David, *la Cybernétique et l'humain*, Paris, Gallimard, 1965.

BELY, A., *l'Enfant instable*, Paris, PUF, 1951.

BERGER J. et A. HAIM, *Rééducation psychomotrice*.

BERGÈS, J. et I. LÉZINE, *Test d'imitation de gestes*, Paris, Masson, 1972.

BUCHER, H., *Troubles psychomoteurs chez l'enfant*, Paris, Masson, 1972.

——————, *Approche de la personnalité de l'enfant par l'examen psychomoteur*, Paris, Masson, 1973.

CAUCHARD, P., *Mécanismes cérébraux de la prise de conscience*, Paris, Masson, 1956.

COMPAGNON, G. et M. THOMET, *Éducation du sens rythmique*, 3e éd., Paris, Colin, 1968.

CONSEIL DU QUÉBEC DE L'ENFANCE EXCEPTIONNELLE, *Symposium sur le schéma corporel*, Québec, 1967.

COUMETOU, M., *les Examens sensoriels*, Paris, PUF, « Caractères », 1959.

CURTAT-BUGNET, « le Bon Départ — Méthode d'apprentissage du geste », *Rééducation*, no 68.

DELAY, J., *les Dissolutions de la sensibilité*, Paris, PUF, 1950.

DUBOSSON, J., *Exercices perceptifs et sensorimoteurs*, Neuchâtel, Delachaux et Niestlé, 1957.

FERRIS, de et J. ROBINS, *Rythmique éducative*, Neuchâtel, Delachaux et Niestlé.

FRAISSE, P. et J. PIAGET, *Traité de psychologie expérimentale*, t. II : *Sensation et motricité*, Paris, PUF, 1963.

GEISMANN, P., *les Méthodes de relaxation*, Paris, Dessart, 1963.

HEBB, D. O., *Psycho-physiologie du comportement*, Paris, PUF, 1958.

HELMAN, *la Poussée sensorimotrice*, Paris, Ch. Dessart, 1973.

HIRSCH, T., *Musique et rééducation*, Neuchâtel, Delachaux et Niestlé, 1966.

KOENIG, K., « la Musique en pédagogie », *Cahiers de pédagogie curative*, 1959.

KOUPERNICK, C., *le Développement psychomoteur du premier âge*, Paris, PUF, 1954.

LEROI-GOURHAN, A., *le Geste et la parole*, vol. 2 : *la Mémoire et les rythmes*, Paris, Albin Michel.

MONTESSORI, M., *Pédagogie scientifique*, Paris, Desclée de Brouwer, 1958.

NAVILLE, S., *Cours de rééducation psychomotrice*, Centre de psycho-éducation du Québec.

PIAGET, J. et B. INHELDER, *la Construction de l'espace chez l'enfant*, Neuchâtel, Delachaux et Niestlé, 1963.

PICQ, L. et P. VAYER, *Éducation psycho-motrice et arriération mentale*, Paris, Doin, 1968.

PIERON, H., *la Sensation, guide de la vie*, Paris, Gallimard, 1955.

PIRET, S. et M. M. BEZIERS, *la Coordination motrice*, Paris, Masson, 1971.

PRUD'HOMMEAU, *le Développement psycho-moteur dans le dessin de l'enfant*, Paris, PUF, 1947.

Rosse, G., *Manuel d'éducation psycho-motrice*, Paris, Masson, 1967.

Schilder, P., *l'Image du corps*, Paris, Gallimard, 1968.

Schultz, J. H., *le Training autogène*, Paris, PUF, 1965.

Soubiran, G. et P. Mazo, *la Réadaptation scolaire des enfants intelligents par la rééducation psychomotrice*, Paris, Doin, 1971.

Stamback, M., *Tonus et psychomotricité dans la petite enfance*, Neuchâtel, Delachaux et Niestlé, 1963.

Tasset, J.-M., *Notions théoriques et pratiques de psychomotricité*, K. R. P. M.

Thiebault, A., *le Papier découpé — le Carton articulé — Raphia — Jouets à vent — Jeux à construire — Découpages en feutrines*, Paris, Centurion [6 ouvrages].

Valmore-Côté, *Corps et ego*, Montréal, Université de Montréal, 1969.

Vayer, P., *le Dialogue corporel*, Paris, Doin, 1971.

Wallon, H. et L. Lurcat, *Espace postural et espace environnant*.

B. En anglais

Ayres, A. J., « Sensory Integration and Learning Disorders » Western Psychological Services 1973.

Barsch, R. H., *Achieving Perceptual-Motor Efficiency*, Seattle, Special Child Publication, 1967.

——————, *Enriching Perception and Cognition*, Seattle, Special Child Publication, 1968.

Bartenieff, I., *Analysis of Movement*, New York, Einstein College of Medicine.

Braly, J. et Cratty, *Trampoline Activities*, Peek Publications.

Doman, G. et C. Delacato, *The Doman Delacato Developmental Profile*, Philadelphie, Philadelphia Rehabilitation Center, 1962.

Kephart, N., *Motoric Aids to Perceptual Training*, Columbus, Charles E. Merrill, 1969.

Kephart, N. et D. H. Raddler, *Success Through Play*, New York, Harper, 1960.

Kessler, Jane W., « *Psychopathology of children* », Prentice-Hall Inc., 1966.

Kirshner, A. J., *Training that Makes Sense*, Montréal, Quebec Association for Children with Learning Disabilities.

Knights, R. et A. Thompson, *Training Suggestions for Children with Perceptual Deficits*, Montréal, Quebec Association for Children with Learning Disabilities.

Lamb, Warren et Turner, *Posture and Gesture*, Londres, Duckworth, 1965.

Leaver, J., B. R. McKinner et E. Verhoeks, *Manual of Perceptual Motor Activities*, Johnstown, Mafez Associates.

Rose, J. S. et V. Mountcastle, *Touch and Kinesthesis*, Washington, D. C., « Handbook of Psychology ».

CHAPITRE 3

HABILETÉS PERCEPTIVO-MOTRICES VISUELLES

Ce chapitre se divise en trois secteurs bien distincts qui sont relativement interdépendants soit l'acuité, la perception et l'activité motrice.

La perception est une des fonctions psychologiques les plus importantes ; elle sert de lien entre l'être humain et son environnement. C'est un phénomène complexe impliquant plusieurs facteurs.

La perception visuelle est un processus mental par lequel la nature d'un objet est définie par association mnémonique visuelle, c'est-à-dire par une mise en rapport avec d'autres éléments qualificatifs d'expériences passées, et portée au niveau de la conscience.

Pour ce faire, l'organisme doit pouvoir recevoir les impressions sensorielles du monde extérieur, les identifier et les interpréter en corrélation avec ses expériences passées.

Ce processus complexe s'établit au niveau du cerveau et non de l'organe récepteur, en l'occurrence, l'œil. Selon un point de vue de maturation, nous parlerons de développement perceptuel et selon celui de l'acquis nous parlerons d'apprentissage perceptuel.

Il est à noter que l'œil, organe de la vue, comme ceux de l'ouïe, du toucher, du goût et de l'odorat sont les plus importants outils de la perception.

La perception visuelle comme telle se développe entre 3 ans ½ et 7 ans ½, mais l'œil, dès les premières semaines de la vie, est capable de recevoir et d'emmagasiner dans le cerveau différents stimuli de l'environnement.

Le premier point que nous aborderons avant l'aspect perceptuel sera celui de l'acuité visuelle et à la fin nous traiterons de différentes activités visuo-motrices.

Acuité visuelle

Nous savons qu'au début du processus du développement visuel, l'œil passe par une étape de vision monoculaire, celui signifiant que chaque œil voit séparément (ce qui explique le strabisme des premières semaines de l'enfant). Petit à petit, avec la maturation neurologique, cette vision devient binoculaire ; autrement dit, les deux yeux reçoivent en même temps les stimuli de l'environnement. Nous savons alors que les deux yeux coopèrent binoculairement et sont capables de vision stéréoscopique (*i.e.* en profondeur).

Compte tenu du rôle de l'œil dans le développement des perceptions visuelles, nous aborderons d'abord, dans ce chapitre, les exercices visuo-moteurs, puis les exercices spécifiques à la perception visuelle.

Dès la première année de vie, l'enfant s'engage dans un sérieux échange visuel avec le monde environnant et il apprend très tôt à interpréter les perceptions tridimensionnelles, avant d'entreprendre celles relevant de la bidimensionalité.

L'œil devient un guide précieux du développement de la perception, et la coordination binoculaire constitue, par le fait même, un important facteur de développement normal.

La convergence et la divergence des yeux sont les premiers points à observer et à corriger, s'il y a lieu, en référant l'enfant à un ophtalmologiste.

L'*acuité visuelle* est naturellement un élément très important, car elle représente l'habileté de la rétine à capter correctement les stimuli visuels de l'environnement.

Déterminer l'acuité visuelle nécessite des instruments spéciaux, bien que la simple observation permette de déceler certains symptômes indiquant que l'on doit référer l'enfant à un spécialiste.

On peut ainsi remarquer si l'enfant grimace ou fait des efforts évidents pour regarder le tableau, la télévision, le cinéma ou des objets éloignés ou même proches. On surveillera l'enfant qui a tendance à travailler très près de son cahier (à une distance de moins de 20 cm [8 pouces]) ou à se frotter les yeux après certaines activités visuelles plus ou moins longues, ainsi que ceux qui ont d'énormes difficultés à recevoir le ballon ou la balle (par exemple, lorsqu'ils font un mouvement rapide de retrait de la tête ou se placent tout à fait hors du champ du lancer).

Observations

— Asseoir l'enfant sur une chaise à une distance de 1,50 m (5 pieds) d'un objet quelconque. Lui demander de décrire et d'identifier cet objet.

— Même exercice, l'enfant assis à environ 6 m (20 pieds) de l'objet.

— Même exercice, en utilisant des objets aux formes de plus en plus complexes.

— Même exercice, avec un jeu que l'on donnera en récompense à l'enfant s'il le décrit bien.

Se servir d'un tableau d'évaluation de l'acuité visuelle et bien noter la façon de regarder (clignotement, grimace, inclinaison de la tête, etc.).

— Reprendre l'exercice en demandant à l'enfant de regarder à travers des cônes ou des cadres, et observer si l'enfant éprouve des difficultés particulières.

L'examen de la vision stéréoscopique s'avère d'une importance primordiale, surtout en fonction de la perception tridimensionnelle.

Perception

Dès les premiers jours de vie les sens nouvellement éveillés bombardent d'impressions qui ne sont alors qu'un chaos de stimuli non différenciés. Très vite cependant, il s'aperçoit que ces impressions ne sont pas toutes les mêmes et qu'elles diffèrent de façon caractéristique. Le monde prend alors forme et petit à petit il a appris à en distinguer les différences, à identifier et comparer, à distinguer la figure du fond environnant dans l'espace et dans le temps et à reconnaître la permanence et la constance de l'objet.

Premiers exercices de perception

— Jeux de lumière avec réflexion : orienter une lampe d'au moins 40 ou 60 watts sur différents objets, et demander à l'enfant de décrire oralement les effets de la lumière sur chacun d'eux.

— Avec deux ou même trois miroirs, explorer les différentes facettes de l'objet.

— Jeux avec une loupe : expliquer les différentes utilisations d'une loupe (verre grossissant) et faire remarquer comme l'objet (photo ou autre), au-dessus duquel elle est placée, semble plus gros, et que cette grosseur varie suivant la distance qui sépare la loupe de l'objet.

— Faire observer, avec une loupe, les surfaces et les textures des objets de l'environnement naturel. (Une lentille de 5 dioptries — qui n'a pas besoin de mise au point — est recommandée.)

— Montrer les effets d'une lentille concave, puis d'une lentille convexe, sur un même objet. (Fig. 3.1)

— Combiner les deux lentilles : l'enfant fait alors de nouvelles expériences optiques. On peut, par la suite, procéder à des expériences sur la distance et les illusions d'optique.

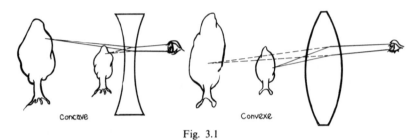

Fig. 3.1

Perception de la forme

L'enfant doit être capable de reconnaître la forme générale des objets et d'en distinguer les différences (particulièrement les formes de base telles que cercle, triangle, carré, rectangle, croix, etc.), afin d'en établir la constance soit cette notion qui veut qu'un changement de positions ou autre ne varie pas la forme en tant que forme.

> La forme doit être perçue en tant qu'existant comme un tout (gestalt) et non comme l'addition de parties qui forment un tout. Par exemple un carré est un carré avant d'être quatre côtés égaux, ou deux droites horizontales et verticales parallèles ou quatre angles droits, etc...

Se servir du matériel Montessori et travailler avec des jeux d'emboîtement.

— Présenter des figures qui auront été identifiées : comparer, associer, classer, différencier, etc.

— Utiliser les jeux en plastique ou en bois, vendus dans les grands magasins ; il s'agit d'insérer un objet (en 2 ou 3 dimensions selon les jeux) dans un espace réservé à cet effet (voir aussi *Tupperware*).

— Recommencer les exercices les yeux bandés.

— Présenter différentes figures à l'enfant, en variant leur texture, leur consistance et leur couleur, et lui demander d'identifier ces figures et d'en décrire les différences majeures.

— Nommer tous les objets environnants qui ont la forme d'un cercle, d'un triangle, d'un carré (par associations symboliques) ; exemple : fenêtre = carré.

— Demander de nommer de mémoire tous les objets connus ayant une forme donnée.

— Demander à l'enfant de dessiner au tableau, puis sur une feuille de papier, des figures de différentes formes. Noter cependant qu'on ne devrait demander qu'une seule forme à la fois afin de ne pas embrouiller l'enfant.

— Faire remarquer à l'enfant que dans la nature les choses ont différentes formes et proportions.

Il y a des formes longues, verticales (ex. : la girafe), plates et horizontales (le serpent), grandes et grosses (l'éléphant), etc. ;
— que certaines choses changent de forme, comme un ballon gonflé, puis dégonflé. Donner aussi l'exemple des lettres de l'alphabet (M et m) ; (Fig. 3.2)

Fig. 3.2

— que si l'on regarde vers la gauche, on ne voit pas la même chose que si l'on regarde vers la droite (b, d) ;
— qu'un singe peut se tenir sur ses pattes ou se suspendre par la queue, mais il demeure toujours le même singe.
— Par superposition d'acétates (environ 2 ou 3), portant chacun une lettre ou un chiffre différent, former une autre lettre ou un autre chiffre, exemple :
[1] sur [o] = [b] ou [6] sur [9] = [8]

Exploration de la forme – Exercices généraux

On a déjà amené l'enfant à constater les différences entre les formes, on doit maintenant lui montrer que ces formes peuvent rester les mêmes tout en changeant de couleur, de position, etc., exemple :
— une fenêtre peut être ouverte ou fermée ;
— un singe peut être assis ou suspendu par la queue ;
— un parapluie, ouvert ou fermé ;
— un ballon, gonflé ou dégonflé ;
— un marteau, posé sur une table (plan horizontal) ou tenu dans la main (plan vertical).

— Présenter à l'enfant des groupes de figures géométriques, et lui
demander d'encercler les triangles, les carrés, les cercles, etc.
On trouvera ce matériel dans Frostig, section « Constance de la
forme » ainsi que dans le D. L. M. (Voir aussi les exercices de
Dubnoff ou de Vanguard.) (Fig. 3.3)

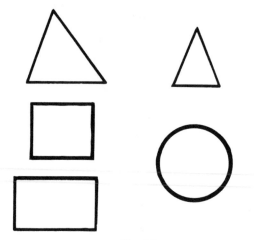

Fig. 3.3

— Découper ces figures et les classer suivant leur forme.

— Demander à l'enfant de faire des associations par couleurs ou
par formes (épreuve de dichotomie).

— Encourager la créativité artistique à partir des formes de base.
On donne à l'enfant une boîte contenant carrés, rectangles,
triangles et cercles de différentes grandeurs. À l'aide de ce
matériel, il devra représenter une scène avec des personnages,
un train, une maison, un arbre, le soleil, un bateau, etc.,
illustrant un thème précis qui peut être suggéré par le professeur. (Fig. 3.4)

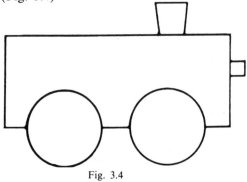

Fig. 3.4

— Montrer à l'enfant comment on peut reproduire différentes formes d'objets par pliage : un bateau ou un chapeau (avec un carré), un verre (avec un cercle), une tête de chat ou de chien (avec un triangle), un cerf-volant, etc.

— Montrer des « pages mystères » représentant des lignes entremêlées au milieu desquelles il faut retrouver une figure déterminée. Certains journaux présentent souvent ce type de problème dans la section des pages illustrées, de même que certaines revues telles que *Sesame Street*.
Les sections « Constance de la forme » et « Discrimination figure-fond » du programme Frostig sont des compléments indispensables à ces exercices (voir aussi ceux de Dubnoff ou de Vanguard).

— Demander à l'enfant de dessiner, avec des crayons de couleur, diverses figures, de les découper et de les coller sur un papier de la même couleur que celle utilisée pour le dessin.
Faire une association visuo-motrice.
Se servir des feuilles Frostig, de la section « Constance de la forme » (niveau PC).

— Dans une deuxième étape, demander à l'enfant de coller ces figures sur une autre feuille identique. Sur la première feuille, il devra colorier, et sur l'autre, coller.

— Faire des exercices de discrimination.

Après s'être assuré que l'enfant a bien intégré la forme en tant que tout c'est-à-dire qu'il est capable d'une synthèse perceptuelle, passer à des exercices d'analyse perceptuelle ou de décomposition de la forme.

— Demander à l'enfant d'identifier de toutes les façons possibles toutes les composantes du carré, du triangle, du cercle, etc...

— Demander à l'enfant de trouver toutes les horizontales dans les lettres de l'alphabet, puis toutes les verticales, puis tous les ronds, etc...

Afin de s'assurer que l'enfant a bien intégré (closure), lui présenter des parties d'un objet et demandez de l'identifier par exemple le bec d'un canard, ou encore présentez-lui des dessins non complétés et demandez-lui d'identifier ce qu'il voit. Travaillez ainsi toutes sortes de qualités que l'on peut attribuer à la forme comme par exemple la texture, la grosseur, etc...

Montrer par la suite qu'il y a des choses qui changent complètement de forme.

— L'eau peut se transformer en glace ou en vapeur ;

— la plasticine peut être aplatie ou arrondie ;

— une tablette de gomme à mâcher ;

— les fleurs (faire des expériences avec la graine);

— montrer des objets qui portent le même nom mais qui ont une forme différente; par exemple, les chapeaux (de cuisinier, de pompier, etc.), les fleurs, les arbres, les coussins, les chiens. Certains panneaux de signalisation routière (comme ceux qui obligent l'automobiliste à marquer un arrêt) ont une forme et une présentation différentes: certains sont ronds et lumineux, d'autres carrés, rectangulaires, placés au coin des rues, au milieu, etc. (Fig. 3.5)

— Étudier des objets de même forme mais de grosseurs différentes, tels que des oranges, des pamplemousses, des citrouilles.

— On note également diverses formes d'habitation: maisons, immeubles à appartements, duplex, igloo, « tee-pee », tente, roulotte, etc.

— Certaines formes sont bidimensionnelles, d'autres sont tridimensionnelles. Montrer un carré à quatre côtés égaux, puis faire observer qu'un cube a six faces carrées égales. (Fig. 3.6)

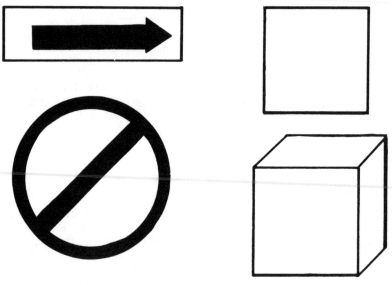

Fig. 3.5   Fig. 3.6

Perception de la couleur

La couleur est une qualité de la forme. Montrer à l'enfant comment, à partir des couleurs primaires, créer par superposition d'autres couleurs. Utiliser des prismes ou des « acétates », ainsi que de la peinture à l'eau pour faire des démonstrations. (Fig. 3.7)

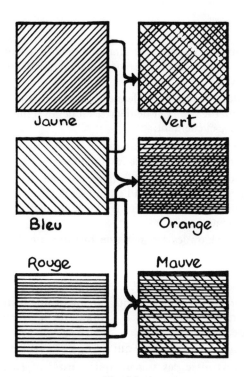

Fig. 3.7

— Confectionner un prisme à partir d'un sac de plastique résistant rempli d'eau, et observer les variations de la lumière et des rayons du soleil qui le traversent.

— Choisir une couleur de base et demander à l'enfant de faire des recherches de teintes autour de cette couleur. Cette couleur sera en vedette durant au moins une semaine. Les associations de teintes doivent venir de l'enfant mais nécessitent l'encouragement du professeur. Prendre, par exemple, un carton de la couleur étudiée et y coudre des boutons et autres petits objets de même teinte. L'enfant devra faire d'autres associations visuelles, et même olfactives, lorsque cela est possible.

— Apprendre à l'enfant à percevoir les différentes tonalités d'une couleur ainsi que ses associations symboliques. Exemple : le jaune peut être illustré par le soleil (gaieté, chaleur), la fleur (jolie), l'oiseau (gentil), la banane (fruit). Le jaune peut être pâle, clair, vif, etc. Faire ainsi pour chaque couleur. On étudiera, de préférence, le blanc et le noir en fin de programme.

Perception de l'image

La perception visuelle est une habileté particulière à chaque enfant, elle est influencée par l'environnement socio-culturel ainsi que par l'expérience.

L'intégration de cette habileté est acquise lorsqu'il est possible à l'enfant de fermer les yeux et de décrire en détail n'importe quel objet, personne, scène, événement.

La vision comme telle n'est qu'un accessoire de la perception, puisque l'enfant aveugle perçoit les images.

— En se servant de grandes images comme celles du programme du *Peabody*, demander à l'enfant de décrire ce qu'il voit (l'idée générale ainsi que les détails), et de donner son interprétation de la scène.

— Jeu des charades (mimer une histoire, un sentiment ou une activité).

— Faire mimer la même scène ou la même activité par plusieurs enfants.

— Utiliser un jeu de cartes qui racontent une histoire ; mélanger les cartes et demander à l'enfant de les remettre en ordre ensuite.

— Demander d'imaginer ce qui s'est passé avant et après l'histoire.

Continental Press offre des stencils qui s'intitulent *Thinking skills* qui constituent de bons exercices pour étudier des relations spécifiques ou l'organisation des idées. « Qu'est-il arrivé en premier ? », « Qu'est-ce qui vient après ? ». La collection *Seeing likenesses and differences*, dans laquelle il s'agit d'identifier et de rassembler par paire, des objets et des idées qui vont ensemble, est aussi très utile.

Orientation spatiale

L'élément d'orientation spatiale est introduit dans les exercices portant sur la rotation ou le renversement des figures, les variations des lignes droites aux lignes courbes, etc. Les transformations topologiques sont importantes, mais elles constituent un élément difficile à comprendre pour l'enfant (quel que soit son âge).

L'expérience joue un rôle primordial en matière d'exploration. L'enfant ne semble pas avoir de problème à assimiler la configuration des objets qui sont près de lui ; cependant, avec l'éloignement, les difficultés s'accentuent. La compréhension des illusions d'optique s'améliore avec l'âge (développement mental, etc.), car c'est encore là une question d'expérience. Il est nécessaire de comprendre que la forme comme telle n'est jamais entièrement représentée dans l'image rétinienne. L'enfant doit voir un objet comme un tout (placé et orienté dans l'espace) et non comme une addition de parties.

— Placer un ensemble d'objets sur une table. Allumer et éteindre la lumière à plusieurs reprises en changeant les objets de place chaque fois que l'on éteint.
Demander ensuite à l'enfant de décrire les objets. Il s'agira de varier la distance des objets entre eux ainsi que leur orientation.

— Travailler la notion de perspective.

— Avec les stencils, étudier la notion de contour.

— Travailler la notion figure-fond.

— Choisir, dans une revue, des photos représentant des objets simples — par exemple une tasse —, et en dessiner le contour en traçant une ligne noire très épaisse.
Sur une carte ou une feuille de papier, vous aurez pris soin de coller une autre photographie de tasse ; demander à l'enfant d'en tracer le contour.

— Sélectionner plusieurs objets tels qu'un sou, une clé, etc. ; dessiner le contour de l'objet sur du papier, puis demander à l'enfant de placer l'objet exactement sur le dessin.

— Reprendre en demandant à l'enfant de tracer lui-même le contour des objets.

— Sur une feuille de papier très mince (genre papier oignon), tracer différentes figures, en variant la forme, la grandeur, la couleur, la direction et l'emplacement. Puis sur une deuxième feuille, tracer des figures identiques. L'enfant doit superposer les deux feuilles.

— Dessiner ces figures sur une douzaine de feuilles différentes, l'enfant devra alors effectuer une sélection pour superposer deux feuilles représentant des figures identiques. Il existe aussi certains jeux de ce genre chez Fernand Nathan.

Discrimination symbolique (Fig. 3.8)

L'enfant doit arriver à différencier, en script ou en cursive, les différentes configurations des lettres, (les lettres les plus hautes, les plus petites, celles qui sont orientées vers le haut, vers le bas, etc.). Il importe d'abord que l'enfant voit le mot comme un tout, et non comme des parties associées.

Le mot « maman » peut, si on en fait le contour ([maman]), former un rectangle, le mot « papa » forme aussi un rectangle, mais avec deux pattes, les « p » descendant plus bas. Le mot « lune » forme aussi un rectangle mais le « l » monte plus haut. Le mot « lait » a 2 oreilles, le « l » et le « t », etc.

Fig. 3.8

Utiliser les prénoms; exemple, « Louise » a une première lettre plus haute que les autres. Il en est de même pour « Pierre ». On peut faire remarquer que si on écrit l'initiale de Louise et de Pierre en lettres minuscules, l'effet n'est plus le même. Il est important de démontrer que les mêmes éléments placés différemment n'ont pas le même sens; exemple, « la » ne signifie pas la même chose que « al », et pourtant les éléments sont les mêmes.

Après avoir travaillé sur la configuration globale du mot, on observera les configurations particulières. Un enfant peut lire le mot « vas » au lieu de « vos », soit qu'il n'a pas vu la différence entre le « o » et le « a », soit qu'il a de la difficulté à voir la différence entre le « o » et le « a », en script plus qu'en cursive, puisqu'une simple ligne horizontale différencie les deux.

— Présenter à l'enfant deux mots, deux objets ou deux figures incomplets, semblables mais pas trop complexes, qu'il devra compléter. On suggère l'emploi des épreuves d'André Rey ou les stencils de *Continental Press*.

— On présente une série de dessins dont l'un est incomplet. L'enfant doit rapidement trouver celui qui est à terminer.

— Présenter à l'enfant deux séries de dessins; la première comprend des dessins incomplets, dans la seconde, les dessins ont été achevés. Demander à l'enfant d'indiquer ce qui a été ajouté.

— Demander à l'enfant de compléter lui-même la première série de dessins. Voir aussi les stencils de *Continental Press (Visual Motor Training)*.

— Présenter un groupe de deux dessins de figures géométriques simples légèrement différents, puis des séries de mots et enfin des dessins d'objets.

— Pour les enfants plus âgés, le quotidien *la Presse* (Montréal) offre, dans la section des annonces classées, des dessins intitulés « Êtes-vous observateur ? ». Collectionner une série de ces dessins et demander à l'enfant de trouver ce qu'il manque et ce qui diffère dans les deux dessins.

— Il existe sur le marché beaucoup de jeux en feutrine qui représentent la silhouette d'un objet que l'enfant doit compléter en ajoutant différents éléments : par exemple, ajouter les portes d'une maison, etc. C'est un excellent exercice.

Orientation des lettres

L'orientation des lettres est une notion que certains enfants ont de la difficulté à assimiler. Ils confondent, par exemple, le « u » et le « n », le « p » et le « q », qu'une simple rotation différencie.

Pour cerner ce problème, on se servira de figures géométriques de base, par exemple, le carré. On peut reprendre les exercices d'orientation du chapitre 2, en les adaptant.

— Présenter à l'enfant un carré dont trois côtés seulement sont dessinés (c'est un genre de u). L'enfant doit indiquer où est l'ouverture : en haut, en bas, à droite, à gauche. Puis on lui présente un cercle incomplet, etc.

— Même exercice avec des objets tels qu'une tasse, une boîte, etc.

— Parmi les stencils de Frostig, choisir les exercices d'orientation spatiale.

L'enfant doit non seulement voir le mot comme un tout, mais il doit aussi pouvoir saisir un groupe de mots dans une phrase et le fait que toute phrase contient des mots qui doivent être placés dans un ordre spécifique.

— Enfiler des perles par groupe de deux, selon des directives préétablies, par exemple, rouge-bleu, rouge-bleu, etc. Ajouter progressivement une, puis deux, trois, quatre couleurs. Présenter un modèle sur une carte ou un tableau.

— Même exercice avec des figures géométriques : rond, carré, triangle ou 2 ronds, trois carrés, etc.

— Présenter des séquences visuelles d'enfilage. (Voir dans la série des stencils du *Continental Press : Visual Discrimination*.)

— Les enfants eux-mêmes se rangent suivant un schéma établi. En ligne, placer un garçon, une fille, un garçon, etc. Leur laisser voir cette succession dans un miroir ; faire changer l'ordre dans lequel ils se suivent.

— Présenter une suite quelconque que l'enfant reproduira dans son cahier.

— Montrer à l'enfant des dessins d'objets : tasse, chapeau, plume, etc. À côté du dessin, écrire plusieurs fois les lettres du nom de l'objet dans un ordre différent ; un seul mot sera correct, et l'enfant devra le trouver.

— Même genre d'exercice, mais on présente cette fois une feuille de papier sur laquelle figure un mot écrit correctement ; sur une autre, une série de combinaisons de ce même mot dans laquelle un seul sera correct. L'enfant doit relier d'un trait le mot de la première feuille à son équivalent sur l'autre feuille.

— Exercices de discrimination visuelle : on encadre un mot au début d'une ligne, l'enfant doit retrouver ce mot dans la ligne.

— Donner à l'enfant un mot, puis une série de lettres découpées dans laquelle il doit trouver les lettres du mot.

Exemple : le mot rose comprend 4 lettres ; présenter 8 lettres à l'enfant, parmi lesquelles se trouvent celles qui composent le mot « rose ». L'enfant doit sortir le r, le o, le s et le e.

Résolution symbolique

— Présenter une série de lettres, chiffres, images simples, que l'enfant devra reproduire le plus rapidement possible immédiatement en dessous. Chronométrer pour l'encourager.

— Associer à chaque type de forme un symbole que l'enfant devra reproduire à la place de la lettre, du chiffre ou de l'image.

— Augmenter progressivement les difficultés.

— Dicter une liste de symboles que l'enfant devra retrouver dans une page de livre.

— Les livres *Visual Tracking* et *Visual Memory* publiés par Ann Arbor offrent d'excellents exercices.

Discrimination figure-fond

L'œil reçoit continuellement une multitude de stimuli en provenance de son milieu immédiat. C'est le rôle du cerveau de discriminer et de sélectionner les stimuli nécessaires au moment approprié. Il est essentiel de réduire au maximum tous les stimuli visuels du milieu environnant, afin d'attirer l'attention de l'enfant vers l'objet même de la situation d'apprentissage. Dans tout apprentissage un seul élément à la fois est important, ce qui n'élimine pas l'existence des autres, mais force ceux-ci à se retirer à l'arrière-plan pendant le temps que la vision se fixe sur un point déterminé. Ainsi l'attention de l'enfant est captée par un point central qui varie constamment. Le temps et l'espace jouent un rôle prédominant dans la discrimination figure-fond ainsi que sur toute l'expérience visuo-motrice.

Perspective et dimension

— Remettre à l'enfant le dessin d'une petite maison, et lui demander d'y placer les meubles. Il sera obligé de placer certains meubles devant d'autres plus loin à l'arrière-plan, selon les lois de la perspective. Demander à l'enfant d'expliquer son choix dans l'emplacement des meubles (description par rapport à la maison, et non les uns par rapport aux autres).

— Même exercice avec une petite ferme.

— Même exercice avec un service de table, demander à l'enfant de « mettre la table ».

— Même exercice en regardant par la fenêtre et en décrivant l'endroit où se situent les objets qu'il aperçoit.

— Présenter des photos ou des images et discuter avec l'enfant des notions de perspective et de dimensions.

— L'enfant décrit toutes les parties d'une boîte carrée.

— Dessiner cette boîte en trois dimensions, puis en deux dimensions. (Voir fig. 3.5)

— Découper la boîte et la coller sur un papier.

— Reprendre l'exercice avec un rectangle. Découper et coller sur du papier de couleur.

— Montrer et nommer rapidement les objets de même forme (carré, rond, triangle) puis de même couleur.

— Placer des objets sur une feuille de papier blanc et demander à l'enfant de décrire la position de chacun d'eux. Changer la couleur du papier et replacer les objets à la même place ; redemander à l'enfant d'indiquer la position des objets.

— L'enfant cherche, sur une photo, tous les yeux, tous les bras, les pieds, etc., puis tout ce qui a la forme d'un triangle ; il doit ensuite en souligner le contour. Les exercices de Frostig, section « Figure-fond » (FG), exemples 21 à 31 sont bien adaptés à cette étude.

— Afin de bien intégrer la notion de perspective, demander à l'enfant de trouver sur une photo ce qu'il y a de plus loin et encercler.

Les exercices de Frostig, section FG (figure-fond), exemples 32 à 44 sont conseillés à cet effet.

— Étudier les lignes qui se croisent et s'entrecroisent (Frostig, exemples 1 à 15 et 16 à 20), puis les figures qui se chevauchent (Frostig, exemples 22 à 44). (Fig. 3.9)

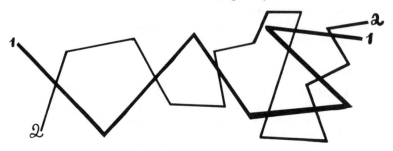

Fig. 3.9

— Exercices avec les mains : l'enfant place ses mains devant lui, l'une près de lui et l'autre plus loin, puis il les superpose, etc. (Varier la position des mains à volonté.)

— Avec tous les enfants de la classe, jouer à celui qui occupe la position la plus proche, qui est le plus loin, qui est devant, qui cache qui ?, qu'est-ce qu'il cache ?, ainsi de suite.

— Jeu du puzzle : rassembler les différentes composantes d'un objet, d'une lettre, d'un nombre, etc.
On recommande également les programmes Frostig et Fairbanks Robinson, section « Discrimination figure-fond ».

— Montrer une série de cartes représentant des figures de couleurs différentes ; construire la figure représentée, avec des cubes de couleurs. (Utiliser à cet effet les cubes de Kohs ou ceux du WISC.)

— Reprendre la construction avec des cubes. Donner des notions de perspective. Illustrer à l'aide de tracé sur carton.

Les revues *Sesame Street* ou *Humpty Dumpty* qui se trouvent dans tous les kiosques à journaux proposent des exercices de discrimination figure-fond dans presque chaque édition.

— Utiliser les cubes Halsam, ceux du Wisc, de Kohs et les jeux de mosaïque.

— Apprendre à isoler une figure à l'intérieur d'un ensemble de figures différenciées dans leurs formes.

— Comparer deux dessins *presque* identiques. Les différences seront de plus en plus subtiles.

— Présenter une feuille de papier avec une rangée de dessins, une de lettres, une de chiffres et demander, sous forme de dictée, d'encercler un dessin, une lettre, un chiffre. Imposer des consignes de plus en plus difficiles.

Mémoire visuelle

La mémoire visuelle est une des fonctions les plus importantes dans l'apprentissage de la lecture et de l'écriture.

Elle a comme fonction la mise en « storage » de multiples informations qu'elle ira chercher de façon discriminante lorsqu'elle en aura besoin. Pour ce faire, elle doit être capable de reconnaître, identifier, localiser (position), distinguer des séries qui présentent la même succession d'éléments.

En général, on parle de deux types de mémoire, c'est-à-dire la mémoire à court terme et la mémoire à long terme. Une mémoire à court terme fait suite à un *input* (exposition visuelle) de trente secondes et moins. Le transfert de mémoire à court terme vers la mémoire à long terme est très difficile.

L'image, ou symbole, et le concept — matériaux de base de la pensée — sont très souvent défectueux chez la plupart des enfants. Il faut donc exercer leur mémoire en se servant d'objets (ou en pratiquant des activités) qui leur sont familiers. L'enfant doit être amené par des exercices à se rappeler les choses qu'il a vues ou qu'il a faites afin de l'aider à les « emmagasiner » dans sa mémoire (mémoriser). La façon la plus logique est l'« habituation »(par répétition de situations stimulantes), car l'enfant ne fait pas le « rappel » de façon spontanée.

Le codage nécessite une attention sélective, et le professeur doit en être conscient pour qu'il puisse aider l'enfant au décodage.

Observer si l'enfant est capable de simple association et ensuite de reproduction verbale ou écrite de mémoire. (Cf. *Continental Press*, les stencils *Visual Discrimination* [*pairing*]).

— Montrer, pendant 10 secondes, un portrait (ou une image) pas trop détaillé, le cacher et demander à l'enfant de le décrire, de nommer les objets qu'il a vus.

— Exposer 10 objets sur une table pendant une semaine. Les cacher ensuite à différents endroits de la pièce. Demander à l'enfant de nommer et de retrouver les objets cachés.

— Même exercice en diminuant le temps d'exposition.

— Même exercice en plaçant les objets sur une feuille de papier. Une fois disparus, l'enfant devra les dessiner exactement à l'endroit où ils étaient.

— Demander à l'enfant de décrire trois, quatre ou cinq choses qu'il a vues le matin en venant à l'école. Il devra au fil des jours réussir à mémoriser de plus en plus de choses.

— Disposer sur une table une série d'objets que l'enfant regarde ; pendant qu'il se retourne, on enlève deux des objets. Lorsqu'il pourra de nouveau regarder la table, il devra nommer les objets qui manquent.

— Montrer un cercle divisé d'abord en deux, puis en quatre, en six parties égales ; chacune d'elles aura une couleur différente. Sur une feuille de papier, l'enfant devra reproduire le modèle qu'il aura vu d'abord 15 secondes, puis réduire graduellement le temps d'exposition.

— Rendre cet exercice plus difficile en introduisant deux ou trois formes différentes.

— Découper un certain nombre (une douzaine environ) de photos, de lettres, de figures. Les mélanger. Toutes ces images doivent avoir la même dimension. Partager ces images entre tous les enfants. Au tableau ou sur une carte, montrer un mot, par exemple, « rose », que chacun devra assembler en choisissant les éléments dont il a besoin parmi les cartes qui lui ont été distribuées.

— Reprendre avec des figures, des personnages, des chiffres. Ce jeu devient un peu plus complexe si on écrit le mot en cursive. Au début, on met des lettres cursives dans le paquet puis on les enlève, et l'enfant doit faire le rapprochement d'une écriture à l'autre.

— Montrer des cartes représentant un jeu de lettres ou de chiffres accompagnés d'une figure particulière (un carré, un rond, deux ronds superposés ou un rond barré, deux lignes qui s'entre-croisent, etc.).
Demander à l'enfant de dessiner la lettre ou le chiffre qu'il a vu. Changer la consigne et demander de dessiner le symbole (la figure) et non la lettre.

— Même exercice, mais cette fois montrer, sur un carton, 3 ou 4 figures différentes que l'enfant devra reproduire.

— Même exercice mais une pause d'environ 10 à 15 secondes entre le stimulus visuel et la reproduction sur le papier.
Dans Frostig, plusieurs exercices correspondent au développement de la mémoire visuelle (voir section « figure-fond », sous-section « position dans l'espace »).

— Montrer à l'enfant une série de trois images ; l'enfant doit nommer les images qu'il a vues dans l'ordre où elles lui ont été montrées. Varier l'ordre.

C'est la *mémoire visuelle* que l'on exerce ; donc limiter la verbalisation ; on ne cherche pas à nommer les couleurs ou les formes, mais plutôt à les reconnaître, à s'en souvenir.

Cependant, si l'enfant le fait spontanément, ne pas l'arrêter car cela entraînerait de l'inhibition. Mais en tenir compte, car un enfant qui sent la nécessité de dire ce qu'il voit est en train de traduire ses perceptions visuelles en termes verbaux (il verbalise ses perceptions).

Cela veut peut-être dire que sa rétention auditive d'une séquence est supérieure à celle de sa rétention visuelle et qu'il transforme une présentation visuelle en une présentation auditive.

— Donner à l'enfant un papier blanc sur lequel on a tracé 6 ou 8 sections. Si on se sert des séquences de couleurs, l'enfant ne doit avoir que les crayons des couleurs utilisées. (Pour les autres ensembles un crayon noir est nécessaire.)
Sur cette feuille, on va reproduire les dessins que l'on a vus sur la carte.

— Montrer la carte quelques secondes (5 secondes au début [2-3 unités], puis 10 secondes pour les plus difficiles à reproduire [4-5 unités ou plus]). L'ordre de la séquence est important. Le professeur peut aussi tracer une figure au tableau puis l'effacer. Toutes les sessions doivent être de courte durée ; plusieurs petites sessions seront plus efficaces. L'enfant normal de 8 ans devrait être capable de retenir correctement, dans l'ordre, 4 unités (séquence).

— Demander à l'enfant de décrire les vêtements qui composent la garde-robe du professeur.

— Placer des objets sur une table, les recouvrir d'une toile et demander ce que chaque forme représente.

— Comme pour une charade, mimer une activité quelconque (environ trois ou quatre actes dans une suite donnée) ; l'enfant doit les répéter après le professeur. Graduellement, imposer un laps de temps de plus en plus long entre la démonstration et l'imitation de l'enfant.

— Reprendre ces exercices avec des lettres qui forment un mot, et demander de retrouver soit les lettres, soit le mot sur une page de livre.

— Demander à l'enfant de pointer du doigt, les yeux fermés, certains objets qui sont dans la pièce.

— Faire des constructions avec des cubes, les démolir et demander de reconstruire exactement la même chose.

— Le jeu du messager (ou téléphone arabe) : un enfant apporte un message écrit à un autre enfant qui doit faire ce que le messager lui demande.

— Le jeu du magasin : donner par écrit à l'enfant une liste de choses qu'il devra aller chercher dans un ordre bien précis. Il devra rapporter les objets mentionnés dans l'ordre exact de la commande.

— L'enfant doit placer dans un ordre logique une série de photos représentant diverses activités : activités de la journée, des saisons, etc.

Les compagnies D. L. M. ou Teaching Resources ont plusieurs jeux de cartes de ce type (voir aussi le matériel Montessori).

— Jeu de dominos : placer les dominos les uns après les autres selon l'ordre des points.

— Découper chaque séquence d'une bande dessinée dans un quotidien et demander à l'enfant de replacer les séquences dans l'ordre correct.

— Présenter un produit fini et demander à l'enfant d'énumérer les étapes de la fabrication. Par exemple, une poupée : comment est-ce qu'on la fabrique ? Dans quel ordre place-t-on la tête, le cou, le corps, les jambes, les bras ? Il est évident qu'on ne peut pas fixer les bras avant d'avoir fabriqué le corps, etc.

— Reprendre l'ensemble des exercices avec des lettres et des chiffres, en caractères d'imprimerie et en cursives ; en majuscules et en minuscules.

— Travailler les séquences avec billes ou blocs de différentes couleurs puis de différentes grosseurs.

— *La concentration.* Disposer, côté face sur table, une série de cartes ou d'images que l'enfant connaît. En retourner une ou deux, et demander à l'enfant de dire ce que représentent les autres cartes qu'il ne voit pas.

— Ouvrir un livre et montrer une page avec une photo ou une image et laisser regarder 10 secondes ; fermer le livre. L'enfant doit retrouver la page que vous lui avez montrée.

— Même exercice mais montrer 2 ou 3 photos au cours du même test.

Utiliser dans la section « Relation spatiale » de Frostig les exercices 51 à 60 (position des détails, modèles en miroir, etc.). Dans *Continental Press*, voir les sections *Seeing Likeness and Differences* et *Thinking Skills.* Voir aussi la série *Visual Memory Skills.*

L'entraînement à l'attention visuelle (fixation) et à la relaxation est un préalable indispensable à la concentration.

Activités motrices qui accompagnent l'activité visuelle

Fixation du regard sur un objet immobile

L'enfant doit être capable de fixer son regard sur un objet pendant un temps donné. Il existe plusieurs activités qui encouragent l'enfant à garder les yeux fixés sur un objet ; par exemple, regarder la télévision ou le cinéma. Les exercices du *peg-board*, ou encore les puzzles, l'enfilage ou le classement de perles, les jeux avec des réglettes, l'écriture et la lecture nécessitent une fixation des yeux sur l'action exécutée.

Cette fonction est intimement liée à la capacité d'attention.

> *Matériel :* l'enfant regarde à travers un cornet de papier ou à travers une ouverture de forme carrée, ronde, triangulaire découpée dans une feuille.

— Présenter un objet dont on variera la distance et l'éclairage. L'enfant regarde avec les deux yeux, puis avec l'œil dominant, et enfin avec l'œil non dominant. Demander de dire ce qu'il voit.

— Même exercice en variant la dimension de l'ouverture à travers laquelle il regarde.

— Même exercice avec des objets en trois dimensions (cylindres, cônes, etc.).

Poursuite visuelle (attention soutenue du regard sur un objet en mouvement)

— Tenir et faire bouger un objet, au niveau des yeux ; demander à l'enfant de suivre cet objet du regard.

— Demander à l'enfant d'étendre le bras, de montrer et de suivre du doigt l'objet qui bouge.

> *N.B.* L'enfant devra faire cet exercice naturellement lorsqu'il écrira ou lira. Il faudra veiller à ce que le mouvement des yeux soit régulier et non saccadé.

> *Matériel :* Deux lampes de poche.

— Rendre la pièce le plus obscure possible.
Avec une des lampes de poche l'enfant suit le tracé qu'exécute le professeur avec l'autre lampe.
Observer si la poursuite visuelle de l'enfant est régulière ou saccadée ; suivre le rythme de l'enfant ou plutôt sa vitesse.
Faire des tracés de gauche à droite, et dans ce sens seulement.

— Même exercice sur le plafond cette fois, et l'enfant allongé par terre.

— Même exercice sur le plancher, l'enfant allongé sur une table. Pour cet exercice, on peut utiliser aussi des petits jouets mécaniques.

— Prendre de vieux plats à tarte dans lesquels on fait tourner une bille ; suivre la bille des yeux.

— Sur un tourne-disque, faire tourner un disque à une vitesse très lente, puis l'augmenter graduellement. On peut placer sur le disque un petit morceau de diachylon de couleur que l'enfant doit suivre des yeux.

— Suspendre une balle au plafond, avec une ficelle ; l'enfant, assis, suit des yeux le mouvement pendulaire, puis circulaire.

— Coucher l'enfant sur le plancher et faire décrire à la balle, un cercle dans un sens, puis dans l'autre. (Fig. 3.10)

— Reprendre l'exercice et demander à l'enfant de suivre la trajectoire de la balle en la pointant du doigt.

— Reprendre l'exercice et demander à l'enfant de suivre la trajectoire de la balle avec une lampe de poche.

Fig. 3.10

N.B. La longueur de la ficelle déterminera la vitesse de rotation de la balle. La balle devrait être placée à la hauteur du nez de l'enfant.

— Recommencer l'exercice et demander à l'enfant de fixer un point quelconque tout en suivant du coin de l'œil et avec son doigt la trajectoire de la balle.

— Donner une feuille de papier à l'enfant et lui demander de dessiner la trajectoire de la balle.

— Construire de petits animaux de papier, les lancer en l'air; l'enfant la tête bien droite, doit les suivre des yeux. Tous ces exercices peuvent se faire avec des instruments monoculaires et binoculaires.

Exercices au tableau

La posture adoptée par l'enfant, au cours des activités au tableau, est extrêmement importante. Le champ visuel, les relations et l'orientation spatiales peuvent être complètement faussés par une mauvaise posture.

Tracer au tableau une ligne parallèle à l'axe central de l'enfant, de façon que l'enfant puisse la toucher du nez : ce sera son point de repère.

L'enfant ne devrait jamais avoir à faire d'efforts sur le plan horizontal ni sur le plan vertical, c'est-à-dire devoir étirer les bras, se mettre sur la pointe des pieds ou se baisser. Les pieds doivent rester l'un près de l'autre, et le corps doit être détendu.

On utilisera au début une craie longue et épaisse, jaune de préférence, s'il s'agit d'un tableau vert.

Permettre à l'enfant une courte période d'activités libres, pendant laquelle il pourra se servir indifféremment des deux mains.

— Une craie dans chaque main, l'enfant devra dessiner des cercles (action bilatérale). Ces cercles seront identiques autant que possible, et seront tracés d'abord dans le sens des aiguilles d'une montre. Ils devront avoir un diamètre de 25 à 30 cm (10 à 12 pouces).
Dessiner les plus grands cercles possibles.
Si l'enfant n'arrive pas à tracer des cercles dans le sens indiqué, ou si ceux-ci se superposent plus ou moins, il devra recommencer.

— Même exercice, mais tracer les cercles dans le sens inverse des aiguilles d'une montre.

— S'éloigner un peu du tableau, tracer des lignes verticales, toujours avec les deux mains.
Cet exercice est difficile et nécessite de nombreux essais.

— Même exercice, lignes horizontales.

— Combiner les lignes verticales et horizontales, tracées toujours avec les deux mains, pour obtenir des | — | — | — symétriques.
Il est évident que ces exercices sont très fatigants et, en conséquence, leur durée devra être limitée à 1 ou 2 minutes.

— Faire les exercices de tracé (voir tableau de Kephart).

Coordination œil-main

Jusqu'ici nous avons vu le mouvement de l'œil devant un objet fixe, puis devant un objet en mouvement.

Nous allons, avant d'aborder la coordination des mouvements de l'œil et de la main, vérifier l'acquisition des habiletés manuelles les plus fines.

Coordination des muscles fins

Il ne s'agit pas tout à fait de la coordination œil-main, mais plutôt de manipulation fine. Le matériel Montessori est à conseiller pour développer cette habileté, ainsi que la plasticine et les jeux à ressort qui renforcent les muscles. Il en est de même des exercices au piano et des marionnettes à doigts.

— Demander à l'enfant de placer les mains sur la table et de lever les doigts l'un après l'autre.

— Reprendre l'exercice en demandant à l'enfant de placer ses doigts comme pour jouer du piano.

— Si cet exercice présente des difficultés, placer des boules de papier dans la paume de la main de l'enfant.

— Demander à l'enfant de toucher son pouce avec chacun de ses doigts (une main à la fois, puis les deux ensemble).

— Faire confectionner des boulettes avec du papier très mince en se servant d'une seule main à la fois et sans l'aide de l'autre.

— Afin de développer les muscles, construire avec deux ressorts un appareil sur lequel l'enfant pourra s'entraîner à étirer ses doigts.

— Prendre du plastique d'emballage avec bulles d'air, et faire crever les bulles par l'enfant en lui demandant différentes positions des bras. Éviter de placer l'enfant près d'une table car il aura tendance à vouloir crever les bulles en les appuyant fortement sur la table avec sa main.

— Faire enfiler des bobines vides (de fil, de ruban, rouleaux de machine à écrire, de pellicules, etc.).

— Enfiler du macaroni (que l'on aura peint, auparavant, de couleurs vives).

— Jeu de construction (maison, immeuble à appartements, garage, magasin, etc.) avec des boîtes de carton de différentes formes ; les plus petites serviront à construire les meubles et autres objets (utiliser des boîtes d'allumettes, de cure-dents, de conserve ; boîtes à souliers ou à cigares, cartons de lait).

— Placer des pinces à linge autour de boîtes de carton : varier les couleurs et ajouter différentes consignes telles que « tenir les pinces rouges avec la main droite, et les pinces bleues avec la main gauche ».

— Reprendre l'exercice avec une boîte en métal (genre moule à pain) carrée ou rectangulaire puis circulaire.

— Confectionner des panneaux muraux, en collant des petits morceaux de papier déchiré, de l'ouate, du macaroni, des fèves, des boutons, etc.

— Peinture au doigt. Fabriquer la peinture en mélangeant de la farine, du sel et de l'eau, puis ajouter du colorant végétal. Peindre sur du papier ciré.
La crème à raser (sans menthol) mélangée avec de la poudre colorée ou de l'empois liquide, ou encore du savon en paillettes et un peu d'eau peuvent aussi servir de peinture au doigt.

— À l'aide de cure-pipes et de pailles, confectionner une variété d'objets tels que poupée, automobile, animaux, etc.

— La pâte à modeler peut se rouler, s'écraser, se façonner à volonté. On peut la fabriquer avec 1 tasse de sel, 1½ tasse de farine, ½ tasse d'eau, 2 cuillerées à soupe d'huile et du colorant (facultatif). Cette pâte se conserve très bien dans un récipient fermé.

— Improviser des constructions ou des travaux d'imprimerie avec des feuilles d'aluminium.

— Autres suggestions : chaises de papier, tressage du coton, de la laine, du nylon, etc., enfin toutes activités d'art plastique requérant l'apport du travail des muscles fins de la main.

Matériel : un rouleau à pâtisserie sur lequel on trace (avec de la peinture ou du papier collant) trois lignes de même longueur et de même couleur, espacées de 1 cm (1½ pouce) environ, et une planche sur laquelle on aura peint ou collé trois lignes absolument identiques.

— L'enfant devra passer le rouleau sur la planche en essayant de faire correspondre les lignes.

— Même exercice sur le parquet.

— Suspendre une balle et demander à l'enfant de la frapper avec un bâton dont chaque côté est peint d'une couleur différente. Varier les consignes, soit la façon de frapper, le côté du bâton à utiliser, les séquences de frappe, etc.

— Reprendre l'exercice avec la balle par terre. On peut éventuellement fixer un but à atteindre.

Matériel : une planche percée de trous de formes différentes. Des petits sacs de sable. (Fig. 3.11)

Fig. 3.11

— Lancer les sacs à travers les trous de la planche.
— Jeu du fer à cheval.
— L'enfant assis, fixe un certain nombre d'objets (4 ou 5) placés devant lui; il doit toucher du doigt et nommer chaque objet, sans bouger la tête.
— Tendre à l'enfant un gros ballon (genre ballon de plage), un peu en dessous du niveau de ses yeux. L'enfant doit regarder et le prendre à deux mains sans bouger les autres parties de son corps.

Ne pas oublier que ces activités sont extrêmement fatigantes pour l'enfant; elles doivent donc être de très courte durée. On utilisera avec profit la section « Coordination œil-main » du programme Frostig, ainsi que le *Visual Tracking* du *Continental* et les exercices du programme Dubnoff. Il est nécessaire de procéder progressivement avec ce type d'activités et de ne pas laisser l'enfant tracer librement les parcours qui lui plaisent.

Jeu de peg-board. Tracer des lignes verticales et des lignes horizontales, puis joindre les deux pour former une moitié de carré soit dans un sens ⌐, puis dans l'autre ⌋. Combiner les deux pour obtenir un carré complet. De la même façon, faire construire un triangle, un cercle. Tracer aussi des croix ou des lignes croisées. Insérer les lignes dans les carrés, etc. (Voir matériel du Teaching Resources). (Fig. 3.12)

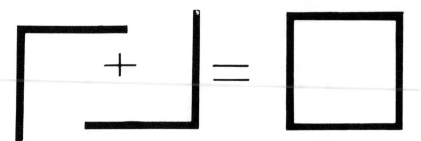

Fig. 3.12

— Employer une série de cartes avec images perforées, et demander à l'enfant de les attacher, d'abord avec un lacet de soulier, puis avec de la laine et des aiguilles appropriées (non piquantes).
— Enfiler des perles selon un schéma bien précis.
— Découper des formes de plus en plus complexes.
— Nous recommandons aussi des jeux de labyrinthe : « trouver la sortie », etc., ou des jeux du genre « peinture par numéro »,

dans lesquels l'enfant doit colorier selon des chiffres ou des lettres pour faire ressortir l'image de fond. Utiliser aussi les spirographes.

— Encourager des activités telles que crochet, tricot, peinture au doigt. Faire ramasser de tout petits objets que l'on devra ranger dans une boîte. Se procurer des jeux d'associations (il existe des jeux de cartes conçus à cet effet).

— Il existe sur le marché de nombreux jeux de construction composés de cubes de différentes couleurs (Fernand Nathan) et des jeux de mosaïque. Demander à l'enfant de construire en suivant un modèle présenté sur une feuille.

— Donner aussi des jeux de billes, d'échecs, etc.

— Former des figures ou des objets avec de la plasticine (balle, poupée, etc.).

— Encourager l'enfant à organiser spatialement des objets, par exemple, la petite maison ou la ferme.

— Confectionner différentes choses avec du papier, du carton, des petites balles, des bâtonnets de « popsicles » ou de sucettes, assiettes en carton, tasses en matière plastique, etc.
Vous trouverez de nombreuses idées dans les livres de travaux manuels (travaux avec bâtonnets, graines, nouilles, etc.).

Matériel : Une planche de 30 × 30 cm (12 × 12 pouces) sur laquelle on a planté 10 rangées de 10 petits clous, des élastiques de grandeurs et de couleurs différentes. (Fig. 3.13)

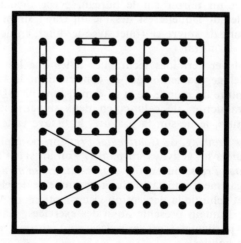

Fig. 3.13

— Montrer à l'enfant des modèles de lignes verticales, horizontales, de carrés, de rectangles, de triangles, de croix simples
ou doubles. L'enfant pourra réaliser une grande variété de
figures de plus en plus complexes en fixant les élastiques sur les
clous.
Reprendre les figures sur du papier.

— Faire dessiner l'enfant sur des feuilles de papier dont on varie le
genre, la couleur, la grandeur. Réduire progressivement l'espace
sur lequel l'enfant devra travailler.

Les activités de pré-écriture sont extrêmement importantes et doivent
développer la poursuite oculo-manuelle gauche-droite en passant du
traçage libre au traçage freiné, prescrit ou précursive, au traçage au-
dessus et au-dessous de la ligne, etc. (voir les activités des programmes
Dubnoff).

— Enfiler des perles.

— Construire des tours avec des cubes.

— Faire des dessins avec des morceaux de papier déchiré que l'on
colle.

— Faire des dessins en collant des petits morceaux de spaghetti ou
des grains de riz, etc.

— Tracer des chemins avec des morceaux de spaghetti collés (ou
autre chose). Utiliser à cet effet une aiguille à tricoter pour bien
aligner les morceaux de spaghetti.

— Reprendre ces exercices avec du ruban.

— Mêmes exercices en faisant les tracés avec de la plasticine.

— Placer un miroir sur le bureau, perpendiculairement à une
feuille sur laquelle est dessiné un trajet simple. Demander à
l'enfant de suivre ce trajet avec le doigt, en ne regardant que
dans le miroir.

— Employer certaines techniques telles que les impressions, le
modelage, l'assemblage, la construction, le façonnage et la
sculpture du monde de la tri-dimensionalité (3D) et l'amener à
la traduction de celui-ci en deux dimensions (2D) par la
peinture, le dessin, la gravure, le tissage et le collage.

Visual Motor Training, de *Continental Press* propose plusieurs stencils
destinés à guider les activités sur papier. Voir aussi le *Visual Readiness*,
de *Continental Press*, ou encore *J'apprends en m'amusant*, de Lidec.
Consulter également une partie du programme de développement de la
perception et celui de la perception visuo-motrice, de Marian Frostig.
La méthode Ramain présente aussi des exercices, mais elle exige un
raffinement particulier; ces exercices sont surtout accessibles aux
enfants plus habiles.

DÉFINITIONS DE TERMES

Acuité visuelle – Le degré de discrimination, soit de la séparation de points ou d'appréhension de la forme, dont l'œil est capable. Le tableau de Snellen définit le degré d'acuité qui varie avec la distance. Pour bien percevoir visuellement, l'enfant doit être capable de photographier exactement les réalités à différentes distances.

Agraphie – Inhabileté à communiquer ses idées par le moyen du langage écrit.

Alexie – Perte du sens ou impossibilité de comprendre les symboles écrits ; c'est un type d'aphasie visuelle.

Angle visuel – L'angle sous-tendu à l'œil par tout objet visible, dont dépend la magnitude de l'image rétinienne.

Aphasie visuelle — L'incapacité de reconnaître les mots, même si la vision des couleurs et des lettres subsiste. La personne atteinte peut écrire spontanément mais non copier (souvent combiné avec l'agraphie).

Axe visuel – La ligne de visée, c'est-à-dire la médiane qui passe par le milieu, le point de rencontre des deux yeux.

Champ visuel – L'ensemble total des stimuli agissant sur l'œil à un moment donné, considéré comme étant projeté sur une sphère dont l'œil est le centre (aspect spatial).

Coordination — Habileté de l'œil à suivre le travail de la main au même rythme et au même moment, ou encore la capacité de suivre avec les yeux un projectile ou la trajectoire d'un objet en mouvement, au même rythme et en même temps.

Dysgraphie – Inhabileté totale ou relative à associer de façon expressive le mot écrit avec l'objet ou l'expression ; c'est un défaut du langage écrit (dysorthographie).

Dyslexie – Incapacité ou habileté limitée à recevoir, comprendre et associer les mots écrits ; incapacité de revisualiser le symbole de sorte que l'image visuelle n'est pas retenue.

Dys-symbole – Incapacité de formuler une pensée conceptuelle dans un langage intelligible aux autres.

Étendue visuelle – Le monde en trois dimensions tel qu'il est perçu par les yeux.

Exploration – Possibilité de capter dans un temps donné un ensemble ou un impact visuel et d'en tracer mentalement, verbalement ou graphiquement la configuration et les détails.

Figure-fond – Capacité de percevoir et de capter une forme symbolique au milieu d'un groupe de symboles et d'en isoler ceux qui sont importants. Joue un rôle important dans la lecture ; permet de percevoir les symboles lus en faisant au même moment abstraction des symboles non lus.

Illusion d'optique – Incapacité, ou défaut, à reconnaître objectivement la totalité du contenu d'un élément en faisant omission ou substitution des détails.

Mémoire visuelle – Caractéristique particulière et nécessaire à tout apprentissage, basée sur l'expérience vécue visuellement. C'est la capacité de faire revivre dans l'esprit une expérience visuelle antérieure en l'absence même de cette expérience. L'enfant doit être capable de se rappeler et d'apparier les symboles ou objets ; cette faculté est une condition préalable extrêmement importante dans l'apprentissage de la lecture, de l'écriture et des mathématiques.

Orientation – Habileté à situer les symboles et formes visuels dans le temps et dans l'espace.

Pairage – Capacité de rassembler, de grouper ensemble visuellement les formes ou symboles visuels qui ont un qualificatif commun.

Perception visuelle – Acte de saisir intuitivement sur le plan visuel, tout objet ou symbole et de l'interpréter. C'est un processus mental par lequel la nature d'un objet est reconnue par association mnémonique visuelle en rapport avec d'autres qualités, et porte celles-ci au niveau de la conscience.

Perspective – Capacité de reconnaître et de concevoir les éléments et objets à trois dimensions, et de les reproduire exactement, ou encore en deux dimensions, dans l'espace moteur ou graphique.

Poursuite visuelle – Capacité des muscles de contrôler le mouvement des yeux, de sorte qu'ils puissent suivre au même rythme et en même temps tout objet ou symbole en mouvement dans toutes les directions et formes ; par leur action, le freinage du mouvement de l'œil sur commande est rendu possible. Ceci exige un apprentissage non dirigé au début pour donner, éventuellement, l'importance au mouvement gauche-droite (mouvement de la lecture, de l'écriture).

Séquences – Possibilité de construire un tout à partir de segments visuels symboliques ou non.

Strabisme – Défaut d'un œil à prendre sa position exacte, relativement à l'autre œil, dans une vision binoculaire.

Visée (fixation du regard) – Possibilité de fixer, d'arrêter l'œil sur un objet visible stable en faisant abstraction des stimuli visuels environnants.

SUGGESTIONS DE MATÉRIEL ET DE JEUX

Cartes de lettres

Cartes perforées (pour langage)

Casse-tête (puzzle) de formes géométriques et autres

Catalogues pour découpage ou tracés (configuration)

Ciseaux pour découpage

Cône ou cylindre pour visée, fixation et promenade oculaires

Copie de textes écrits et de dessins (formes diverses)

Craies pour exercices au tableau

Crayons de différentes grosseurs

Crayons de feutre

Cubes pour construction de mots

Enfilage de perles

Exercices d'associations visuo-motrices

Exercices de *Visual tracking* de Mafex

Feuilles de travail Frostig

Feuilles de travail *Continental Press*

Flexagon

Jeux d'allumettes brûlées ou bâtonnets (tracés de formes)

Jeux de billes

Jeux de cartes éducatives

Jeux de cubes (constructions en deux ou trois dimensions)

Jeux d'échecs

Jeux de discrimination des couleurs

Jeux et exercices des muscles fins de la main
Jeux de labyrinthe
Jeux de loto
Jeux de superposition d'objets semblables ou différents
Jeux de voyages touristiques « j'ai vu... »
Jeu « Opération »
Jeu Mazes (labyrinthe)
Jeux « trouver ce qu'il manque »
Jouets miniatures
Lampes de poche
Lettres de différentes formes (plastique, carton, papier émeri, etc.)
Livres de découpage, à colorier, etc.
Lunettes avec un œil caché
Lunettes avec un œil caché mais perforé au centre
Machine à écrire
Manipulation de matériel d'écriture divers
Marionnettes pour les doigts
Masques ou foulards pour couvrir les yeux
Matériel du programme Ramain
Ombres chinoises avec doigts
Papier pour faire des constructions
Papier servant au pliage
Pendule à trajectoire (dans un plan vertical ou circulaire)
Planche de *peg-board*
Plat rond (genre plat à tarte) avec bille
Rouleau à pâtisserie
Tracés incomplets à compléter

BIBLIOGRAPHIE

A. En français

AJURIAGUERRA, J. de et M. AUZIAS, *l'Évolution de l'écriture et ses difficultés*, Neuchâtel, Delachaux et Niestlé, 1964.

——————, *la Rééducation de l'écriture*, Neuchâtel, Delachaux et Niestlé, 1964. Collection d'actualités pédagogiques.

AUZIAS, M., *les Troubles de l'écriture chez l'enfant*, Neuchâtel, Delachaux et Niestlé, 1970.

AUZIAS, M., « L'apprentissage de l'écriture », Colin, Paris, 1966.

BAILLIART, P., *l'Enfant aveugle*, Paris, Doin, Deren, 1958.

BANDET, J., *Évolution de l'écriture de l'enfant à l'adulte*, Paris, Colin, 1964.

BANG, V., *l'Évolution de l'écriture*, Neuchâtel, Delachaux et Niestlé, 1959.

BENDER, L., *Un test visuo-moteur et son usage clinique*, Paris, PUF, 1957.

BENTON, A. L., *Application clinique d'un test visuo-moteur*, Paris, Centre de psychologie appliquée, 1955 (?).

BONDY, L., *Éléments de phonétique*, Paris, Baillières, 1968.

BOREL-MAISONNY, S., *Langage oral et écrit*, Neuchâtel, Delachaux et Niestlé, 1960. Vol. I : Pédagogie des notions de base, Vol. II Épreuves sensorielles et tests de langage.
—————————, *Espace temps et orthographe*, Neuchâtel, Delachaux et Niestlé, 1969.

CAHN, R. et T. MOUTON, *Affectivité et troubles du langage écrit chez l'enfant et l'adolescent*, Toulouse, Privat, 1967.

CALMY, G., *Comment faire?... les Exercices graphiques*, Paris, Nathan, « Comment faire? ».

CHASSAGNY, C., *Manuel pour la rééducation de la lecture et de l'orthographe*, Paris, Néret, 1962.
—————————, *l'Apprentissage de la lecture chez l'enfant*, Paris, PUF, 1954.

CHATEAU, J., *Attitude intellectuelle et spatiale dans le dessin*, Paris, C. N. R. S., 1965.

DELACHAUX, S., *Écritures d'enfant*, Neuchâtel, Delachaux et Niestlé, 1955.

DEBRAY-RITZEN, P., *la Dyslexie de l'enfant*, Paris, Casterman, 1970.

DERRIDA, J., *l'Écriture et la différence*, Paris, Seuil.

DION, A. P., Auto-correct-art (ensemble multi-media), Laval, André P. Dion Inc., 1973.

DOMAN, G., *Apprenez à lire à votre bébé*, Paris, Plon, 1965.

FICHAT, A.-M., *l'Enfant dyslexique*, Toulouse, Privat, 1967.

FRAISSE, P. et J. PIAGET, *Traité de psychologie expérimentale : Perception*, Paris, PUF, 1963 (6 vol.).

FROSTIG, M. et D. HOME, *le Programme de développement de la perception visuelle*, New-York, McGraw-Hill.

GOBINEAU, H. de et R. PERRON, *Génétique de l'écriture et étude de la personnalité*, Neuchâtel, Delachaux et Niestlé, 1954.

GREGORY, R. L., *l'Œil et le cerveau*, Paris, Hachette, 1966.

HECAEN, H., *Neuropsychologie de la perception visuelle*, Paris, Masson, 1972.

INSTITUT DE VISIOLOGIE, *Précis de surveillance visuelle scolaire*, Montréal, Éditions Beauchemin, 1967.

JADOULLE, A., *Apprentissage de la lecture et dyslexie*, Éd. Thone, Liège 1967.

KOCHER, F., *Rééducation des dyslexiques*, Paris, PUF, 1962.

LECLERCQ, H. et P. RÉGNIER, *l'Éducation perceptivo-motrice*, Paris, Fernand Nathan.

LOBROT, M., *Troubles de la langue écrite et ses remèdes*, Paris, E. S. F. 1972.

MAISTRE, M. de, *Dyslexie dysorthographique*, Paris, Éditions universitaires (2 vol.), 1969.

MIALARET, G., *l'Apprentissage de la lecture*, Paris, PUF, 1966.

MOQUIN, N., *Techniques susceptibles d'améliorer la lecture (la poursuite oculaire)*, Montréal, Université de Montréal.

NETTO, L., *Cahiers d'exercices graphiques*, Neuchâtel, Delachaux et Niestlé, « Pédagogie expérimentale. Psychologie de l'enfant ».

OLIVAUX, R., *l'Éducation et la rééducation graphique*, Paris, PUF, « Nouvelle Encyclopédie pédagogique », 1960.

SYLVESTRE DE SACY, C., *Bien lire et aimer lire*, Éditions sociales françaises (E. S. F.), 1969.

TAYLOR, J. et T. INGLEBY, *voir* la collection « Je lis tout seul », Paris, O. C. D. L.

THOMAZI, J., *le Langage graphique de l'enfant*.

ZAZZO, R., *le Geste graphique et la structuration de l'espace*, Neuchâtel, Delachaux et Niestlé, 1964.

B. En anglais

ASHCROFT, S. C., *Programmed Instruction in Braille*, Pittsburgh, Stanwix House, 1962.

BENTON, A. L., *Dyslexia in Relation to Form Perception and Directional Sense*, Johns-Hopkins Press, 1962.

CRITCHLEY, MACDONALD, *Developmental Dyslexia*, Springfield, Charles C. Thomas, 1965.

CRUICHSHANK, W. M., *Perception and Cerebral Palsy*, Syracuse, Syracuse University Press, 1965.

DELACATO, C. H., *The Treatment & Prevention of Reading Problems*, Springfield, Charles C. Thomas, 1963.

FROSTIG, M. *et al.*, « Disturbances of Visual Perception », *Journal of Education Research*, 1963.

GESELL, A. et F. L. ILG, *Vision, Its Development in Infant Child*, New York, Harper & Bros., 1949.

HARMON, D. B., *Notes on a Dynamic Theory of Vision*, Austin, 1958.

JAMES, William, *The Principles of Psychology : Memory*, New York, Dover Publication, 1918.

KEPHART, N. et H. CHANEY, *Motoric Aids to Perceptual Development*, Columbus, Charles E. Merrill, 1969.

LACHMANN, F., « Perceptual-Motor Development in Children Retarded in Reading Ability », *Journal of Consulting Psychology*, octobre 1960.

ROACH, E., *The Purdue Perceptual Motor Survey*, Columbus, Charles E. Merrill, 1966.

CHAPITRE 4

HABILETÉS PERCEPTIVO-MOTRICES AUDITIVES

Le monde auditif est en réalité, une des formes initiales de communication découvertes dès les premiers jours de la vie de l'être humain. Ce chapitre traitera plus particulièrement de la réceptivité auditive de l'enfant, puisqu'on étudiera plus en profondeur le domaine de l'émission des sons au chapitre 6, « développement du langage » et de la perception auditive.

L'enfant peut avoir plusieurs types de difficultés d'apprentissage auditif, d'ordre verbal ou non verbal.

L'audition est d'autant plus importante qu'elle est l'outil principal de l'acquisition du langage et des communications interpersonnelles.

Puisque les déficits au niveau de l'intégration sensorielle demeurent toujours un problème très complexe, nous allons tenter d'attirer l'attention sur l'enfant dont l'acuité auditive est bonne mais qui est incapable d'interpréter les sons, c'est-à-dire qu'un enfant ayant un déficit général sur le plan de l'apprentissage auditif peut très bien entendre mais être incapable d'interpréter ce qu'il entend. Il ne peut pas structurer ni organiser son monde auditif ; il ne peut pas non plus associer les sons à des objets, au cours d'expériences spécifiques. Étant donné qu'il n'a pas la capacité de faire ces associations, ses réponses aux stimuli auditifs sont inconsistantes, et très souvent on le croit dur d'oreille (ou presque sourd). On peut même aller jusqu'à observer que ces enfants ont des comportements similaires à ceux des enfants sourds ; leurs sens visuel et tactile sont beaucoup plus développés que ceux des enfants à l'ouïe normale, et ils sont, en général, très tranquilles et plutôt effacés. L'expression qualitative de leurs vocalisations est aussi très variable.

La réception des sons s'effectue à différents niveaux et en plusieurs étapes. Un son qui est reçu du côté droit est entendu comme provenant de la droite même s'il n'existe pas, comme tel, un côté droit ou un côté gauche de l'oreille. Cependant, le son est perçu une fraction de seconde plus tôt par l'oreille gauche ou par l'oreille droite selon que la source est plus ou moins rapprochée de la médiane.

La perception du son dépend de la corrélation spatio-temporelle de la source (d'ailleurs le jeune enfant dirigera toujours sa tête ou son regard vers la source du son) et à l'individu récepteur.

Acuité auditive

L'acuité auditive ou habileté de l'oreille à détecter les sons varie selon les individus. L'oreille perçoit 20 000 vibrations par seconde. Cependant l'intensité sonore perçue par l'oreille varie de 20 décibels, zone d'intensité correspondant au chuchotement, à 60–80 décibels pour la conversation normale. Au-dessus de 130, la réception devient douloureuse.

Le spécialiste se sert généralement d'un audiomètre, instrument servant à mesurer l'acuité auditive et à établir les audiogrammes sur lesquels est enregistrée la durée de perception d'un son d'intensité et de hauteur spécifiques, provenant d'une source fixe. Par cette technique, on détermine non seulement l'acuité auditive mais aussi le degré de surdité ou d'incapacité de l'oreille à recevoir les sons.

La distance auditive, l'étendue du champ auditif font partie de l'étude des ondes sonores (que l'on appelle aussi ondes aériennes). Cette étude s'effectue dans des conditions spéciales soit dans une pièce isolée et avec des instruments spéciaux. L'intensité, la hauteur et le timbre sont les principales caractéristiques des sons captés par l'oreille ; d'eux dépendront la sensibilité et les habiletés différentielles.

La perception auditive nécessite la référence à un code préalablement connu par l'expérience vécue et soumis à un apprentissage d'influence culturelle et intellectuelle. Un individu peut ne pas entendre ou mal entendre soit pour des raisons de surdité complète ou partielle, soit parce que les sons sont hors de son champ auditif ; dans ce dernier cas il entend mais ne perçoit pas les différences entre les sons, surtout les graves et les aigus. Cet handicap est à l'origine des difficultés de discrimination auditive entre m, n, l et gn ou les b, d, p, t, et k ou encore les ch, s et f.

Comme nous l'avons dit plus tôt, pour déterminer l'acuité auditive de l'enfant, il est nécessaire d'avoir recours à des spécialistes. Cependant, l'observation de certaines difficultés, ou symptômes, permettront d'envisager la possibilité d'une déficience auditive quelconque et de référer l'enfant aux services spécialisés. Une attention particulière doit être accordée à certains phénomènes révélateurs simples, par exemple l'inattention et ses manifestations, à savoir :

— sous quelle forme se présente-t-elle? est-ce un phénomène régulier ou sporadique? quelle est la durée des périodes d'inattention?

— l'enfant réagit-il toujours de la même façon lorsqu'il est interpellé?

— l'enfant se plaint-il de douleurs aux oreilles?

— demande-t-il souvent de répéter?

— son articulation est-elle défectueuse?

— le ton de sa voix est-il vague, indistinct, fort, faible, tremblant ou autre?

— éprouve-t-il plus de difficulté à prononcer les voyelles que les consonnes?

— respire-t-il plus particulièrement par la bouche?

— a-t-il souvent des rhumes ou des maux de gorge?

Il est à noter que lorsque l'oreille moyenne est atteinte, l'enfant entend mal les sons graves, et lorsqu'il s'agit de l'oreille interne, il perçoit mal les sons aigus (on parle alors d'hypoacousie, c'est-à-dire qu'il entend bien les sons graves mais non les sons aigus).

— Placer une montre près de l'oreille (côté dominant) de l'enfant et l'éloigner petit à petit jusqu'à ce que l'enfant dise ne plus entendre le son.

— Répéter le même exercice avec l'oreille opposée. Les deux oreilles entendent-elles ou reçoivent-elles les sons à la même distance?

— La réaction à différentes tonalités ou fréquences est-elle la même? [Se servir d'un poste de radio, et varier le volume du son.]
Le décodage dépend énormément des expériences passées; le son peut produire chez l'enfant des réactions physiques autant qu'émotionnelles, telles que des variations dans le rythme cardiaque, des rires, des pleurs, etc.

Acuité n'implique pas automatiquement perception, puisque l'oreille n'est pas le seul organe par lequel les sons peuvent être captés; la capacité de réception des sons par les sourds en est l'exemple par excellence.

Bien que le seuil auditif normal d'intensité varie entre 0 et 15 décibels, nous savons qu'il existe différentes capacités d'entendre. Cependant l'évaluation de la qualité du son est très relative, et certaines oreilles sont incapables de capter les variations de fréquences composantes de la tonalité. On pourrait comparer leur niveau de réception à celui d'un poste de radio de qualité très inférieure. Pour d'autres, les sons sont confus et déformés de sorte que des mots très simples, comme *bain, pain, main, tien, viens* sont indifférenciés. La déficience de réception des sons peut être une question relevant de l'oreille externe, de l'oreille interne ou des zones responsables au niveau du système nerveux central. Les difficultés qui en résultent varient de la surdité complète à des déficiences auditives plus ou moins graves.

— Provoquer des bruits divers dont on augmente progressivement le volume ; puis prononcer cinq ou six mots que les enfants doivent répéter. Noter si certains d'entre eux ont plus de facilité que d'autres à comprendre lorsque le bruit de fond est très prononcé.

— Chuchoter un mot à l'oreille d'un enfant qui le transmet à un camarade qui devra, à son tour, répéter ce mot (téléphone arabe).
Reprendre l'exercice avec des cônes en carton, en plastique et en métal.

— Trois bouteilles identiques, l'une vide, la deuxième à demi pleine d'eau, et la troisième complètement remplie d'eau. (Fig. 4.1)
Taper sur les trois bouteilles pour montrer les différents sons. Puis bander les yeux de l'enfant et recommencer ; l'enfant doit reconnaître de quelle bouteille provient le son.
Noter le comportement de l'enfant (s'il penche la tête, par exemple).

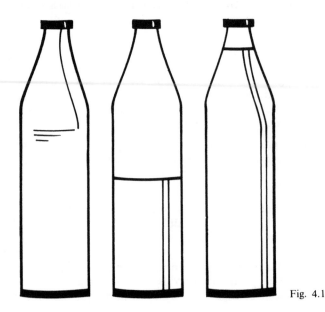

Fig. 4.1

Il est assez difficile de cerner la différence entre *écouter* et *entendre*. Cependant *écouter* implique que l'enfant répond à des apprentissages auditifs spécifiques et exige une bonne perception du son, tandis qu'*entendre* dépend beaucoup plus du conditionnement.

Pour travailler les exercices de perception auditive, il est nécessaire que le milieu auditif soit bien structuré. La classe doit, dans la mesure du possible, être isolée des bruits de l'extérieur tels que ceux de la circulation, de la cour de récréation, etc.

Discrimination

Une fois que l'enfant est capable de reconnaître les différents sons de son environnement familier, il doit comprendre qu'un même son peut avoir différentes qualités : il peut être fort ou faible, éloigné ou rapproché, long ou court, sa tonalité peut être variable, etc.

Décodage auditif (Fig. 4.2)

Une séquence de sons doit prendre un sens spécifique avant d'être insérée dans une structure symbolique. les sons ont une origine, une durée, un timbre, une hauteur, une séquence spatio-temporelle avant même de parler de symbolisation ou de perception auditive.

À l'intérieur même de toute séquence, nous trouvons une variété d'éléments qui joue un rôle important dans la structuration auditive.

La source définit le son, mais la tonalité, la longueur (fig. 4.2a), la hauteur (4.2b), l'intensité (4.2c), le timbre (4.2d), le rythme, la symbolisation auront un rôle important dans le décodage auditif.

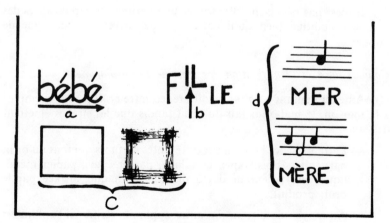

Fig. 4.2

Le but des exercices d'acuité auditive est d'amener l'enfant à localiser la source du bruit ou du son, à les discriminer, c'est-à-dire à distinguer un stimulus d'un autre ainsi que les différences à l'intérieur des sons (rythme, durée, hauteur, etc.), surtout dans le contexte d'une situation d'apprentissage. De plus, l'enfant doit apprendre à faire abstraction des bruits et sons non importants, par exemple ceux de l'extérieur. Cependant, ces bruits extérieurs proviennent d'une réalité dont il faut tenir compte, il s'agira donc d'introduire petit à petit, pour qu'il en prenne conscience, différents bruits de fond que l'enfant est susceptible d'entendre dans un milieu scolaire ou familial, puisqu'il devra pouvoir se concentrer pour travailler attentivement à la maison comme à l'école, puis amener l'enfant à les rejeter par déconditionnement.

Au début, faire écouter à l'enfant des bruits forts tels que ceux de la circulation, d'un chantier de construction, de moteurs d'avions, etc. ; puis des bruits qui causent un effet de surprise tels que la cloche de fin de classe, la sonnerie d'alarme, un cri d'enfant ou de quelqu'un qui se blesse, les freins d'une auto, etc. Ensuite, on écoutera des bruits plus faibles : pupitre qui bouge, chaise, porte, va-et-vient dans les corridors, etc. ; les bruits du milieu familial, par exemple, celui des réparations effectuées par le père à l'intérieur ou à l'extérieur de la maison, la circulation, les appareils ménagers, la télévision, la radio, le chauffage ; les bruits qui surprennent : la sonnerie de la porte d'entrée, celle du téléphone, claquement de porte, fenêtre claquée par le vent, verre brisé, etc. Puis les bruits plus subtils : douche, bain, eau du robinet, liquide versé dans un récipient, pas sur le plancher ou le tapis, etc.

Il sera bon de discuter avec les enfants de tous ces bruits et de leurs effets après chaque nouvelle sorte de bruit ou de son écoutée.

Il n'est pas nécessaire d'observer une période de repos, après des exercices auditifs, bien qu'il convienne de surveiller tout signe de fatigue.

Connaissance et identification des sons de l'environnement

Amener l'enfant à définir la différence entre *bruit* et *son* ; exemple : à la maison, le malaxeur fait du bruit tandis que les sirènes émettent des sons.

— Faire marcher l'enfant sur différentes surfaces qui font un bruit particulier (bois, tapis, carrelage, papier épais, papier métallique, etc.) ; l'enfant devra distinguer chaque surface par le bruit produit.

— Au moyen de disques ou autre appareil, vérifier si l'enfant est capable de discriminer et d'identifier des sons un peu moins familiers, comme taper dans ses mains, secouer un hochet de bébé, les billes qui tombent une par une dans un pot, du liquide versé dans un récipient...

— Avec un stéthoscope, faire écouter les battements du cœur, les vibrations des murs, du plancher, ainsi de suite.

— L'enfant a les yeux bandés ou le dos tourné. Produire trois sons différents : faire rebondir une balle, claquer ses doigts, taper sur le pupitre. L'enfant doit imiter, dans le même ordre, les sons qu'il vient d'entendre.

Matériel : un « téléphone » fabriqué avec deux boîtes de fer reliées par une ficelle. (Fig. 4.3)

Fig. 4.3

— L'enfant émet une série de sons, prononce des mots, récite un court poème dans une des boîtes, tandis qu'un autre l'écoute avec l'autre boîte. On trouve dans le *Peabody* un jeu de micro, ou micro-téléphone qui permet aux enfants de se parler d'une pièce à l'autre.

— Les enfants sont en file indienne avec un sac de papier sur la tête, perforé à l'endroit des oreilles. Le premier enfant chuchote une phrase à l'oreille du deuxième qui passe le message au troisième, etc.

— Demander à l'enfant d'émettre des sons avec différentes parties de son corps : ses mains, ses pieds, ses doigts.

— Identifier des bruits, des sons musicaux et des instruments.

— Prononcer une série de mots qui ont la même consonance et lui demander de les répéter, par exemple :
croix — quoi — croître
pain — faim — main
sœur — leur — peur
mer — fer — terre
piller — prier — plier
pomme — somme — comme

— Présenter des images que l'enfant montrera du doigt quand on prononcera le mot correspondant. Commencer par des monosyllabes, poursuivre avec des dissyllabes et des trisyllabes. (Fig. 4.4)

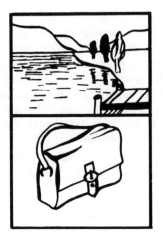

Fig. 4.4

— Introduire des bruits de fond et reprendre l'exercice. On peut se servir de stencils conçus pour faire des « associations auditives ». (Fig. 4.5)

— Les jeux de marionnettes que l'on fait dialoguer sont une excellente façon d'initier les enfants à différentes sortes de sons ; chacun peut confectionner la sienne, avec un vieux bas, deux boutons pour les yeux, de la laine pour les cheveux et un petit bout de tissu rouge pour la bouche.

Les cris d'animaux

— Faire entendre d'abord des cris d'animaux domestiques, familiers, puis sauvages. En se servant une fois de plus d'images et de disques, demander à l'enfant d'identifier l'animal qui a émis le son entendu.

— Associer aux sons, des gestes ou des postures spécifiques à chaque animal. Les varier : l'animal mange, est content, appelle, est furieux, etc.

— Imaginer des anecdotes autour des différentes attitudes et habitudes des animaux ; les faire mimer.

— Jeu de charades. Par différents bruits, imiter un animal que le groupe doit identifier.
  Les sons qui définissent certaines émotions : pleurs, cris de surprise, de douleurs, etc.

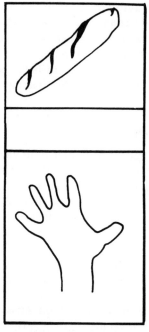

Fig. 4.5

— Dans la classe, les pupitres, les chaises, les livres, etc., peuvent faire du bruit, tandis qu'avec un crayon on peut frapper sur différents matériaux pour produire des sons.

— Lorsqu'on frappe sur une table avec un marteau et lorsqu'on tape sur le xylophone avec un bâton, on produit des sons différents.

— Illustrer les exercices au moyen d'images ou d'objets en relation avec le son. Permettre à l'enfant de mimer par des jeux d'expression gestuelle et orale.

Activités avec un thème spécifique

Prendre par exemple le thème du *transport* et l'illustrer avec les sons des différents moyens de locomotion: le camion, la voiture, l'avion, l'âne, le cheval, etc.

On peut aussi se servir des thèmes suivants:

— *La construction*: on écoute les bruits produits par les camions, les tracteurs, les tournevis, les bétonnières, etc.

— *Le vol*: les oiseaux, les avions, les papillons, les cerfs-volants, les fusées, etc.

— *Les saisons* : en automne, le bruit des feuilles mortes, la pluie ; au printemps, le chant des oiseaux ; etc.

— *Le ménage de la maison:* l'aspirateur, le balai, le lavage des planchers, la machine à laver, etc.

— *La vie* de quelqu'un : la voix du bébé, celles du garçon, de la petite fille, de l'adolescente, de la maman, du papa, puis la voix du vieillard.

Origine (source) et direction du son

L'enfant doit apprendre à écouter d'où vient un son, c'est-à-dire en déterminer la source ainsi que sa promenade spatio-temporelle.

— Couvrir les yeux de l'enfant, produire certains sons, lui demander de les identifier et de montrer leur source du doigt. Varier les sons et leur provenance.

— Cruickshank, dans *Teaching Method for Hyperactive Children,* cite des jeux qu'il a intitulés *Listening Games.*

— L'enfant nomme et décrit les bruits qu'il entend (ou peut entendre) au-dehors, soit dans la ville, à la campagne ou en forêt :
  - les voitures (grincement, klaxon, crissement des pneus, etc.) ;
  - le vent dans les feuilles (sifflement), sur les persiennes, etc. ;
  - le tonnerre ;
  - les oiseaux ;
  - les mouches, abeilles, grenouilles, etc. ;
  - les jappements, miaulements, beuglements, croassements, hennissements ;
  - les pas sur les feuilles mortes, sur la terre ;
  - les pas sur le bois, l'asphalte, etc. (enfant, dame, cheval, etc.).

  Ajouter autant d'activités que le temps le permet. Faire vivre les expériences à l'enfant dans la mesure du possible.

Différenciation des sons

Les exercices suivants consistent à identifier différents sons qui se produisent dans l'environnement habituel, à établir des analogies et à différencier un son par rapport et en même temps qu'un autre ou que plusieurs autres.

Les sons connus

— Présenter une série de photos évoquant des sons familiers. Faire entendre des sons sur un tourne-disque ou autre appareil, et demander à l'enfant de les identifier.

Le matériel d'apprentissage D. L. M. et certains disques du *Peabody* (le niveau P) présentent des sons enregistrés dans le milieu environnant de l'enfant.

— Convenir d'un son et faire entendre un groupe de sons ; demander à l'enfant de se coucher en appuyant la tête sur son bureau et de la lever lorsqu'il entendra le son convenu, puis de le définir.

— Rendre cette tâche plus difficile en ajoutant 2 puis 3 sons. L'enfant ne doit lever la tête que l'orsqu'il a entendu le dernier son ; varier la combinaison des sons.

La perception cognitive du son, ne veut pas dire l'entendre ou l'écouter, puisque nous savons fort bien que les sourds et les sourds-muets perçoivent des sons. La perception des sons est donc un mécanisme beaucoup plus intériorisé qu'une simple fonction biologique.

Ce sera la personnalité de chaque enfant qui définira par la suite les préférences et même les différences de sons. Le son fait partie de l'espace perceptuel de l'enfant. Celui-ci sera porté à identifier les sons qui lui sont plaisants, et cela, selon ses expériences perceptuelles. Une fois la source, ou provenance, déterminée, l'enfant doit localiser spatio-temporellement les mêmes sons.

— L'enfant, les yeux bandés, est placé au centre de la pièce. Il montre du doigt l'endroit d'où provient le son qu'il entend.

— Commencer avec son nom que vous prononcerez de différents endroits de la pièce. Vos déplacements doivent se faire sans bruit. Continuer avec des bruits familiers à l'enfant (cloche) puis avec des sons plus compliqués et moins familiers, et terminer avec plusieurs bruits différents à la fois (2 ou 3).

Situation des sons dans l'espace

L'enfant doit situer la provenance d'un son dans son espace total. Il doit pouvoir dire si la source du son est devant lui, derrière, en haut, en bas, à gauche, à droite, loin, proche, etc.

Cette situation de la provenance des sons doit devenir de plus en plus précise ; par exemple, le son provient du côté droit, en haut et loin, etc.

— Faire des exercices debout puis couché par terre. L'enfant devra alors tendre le bras ou le pied selon la provenance du son (côté tête ou côté pied). Varier les sons et leur provenance.

— L'enfant, les yeux fermés, décrit les sons qu'il entend dans la classe, dans le corridor, la cour, etc.

— Laisser tomber sur le plancher différents objets (livre, crayon, craie, règle, etc.) ; l'enfant regarde et écoute.

— Les yeux masqués, il doit maintenant identifier l'objet qui tombe.

— Recommencer en faisant tomber les objets à différents endroits dans la pièce; l'enfant doit situer la provenance du son.

— Encourager l'emploi d'autant de qualificatifs que possible.

— Varier la vitesse et l'endroit de la chute en utilisant des boîtes de carton ou de métal.

— Reprendre en variant le point de départ et en frappant les objets sur d'autres objets à résonances différentes.

— Faire des exercices pour situer la provenance de la voix de différents enfants.

Tonalité

— Varier la tonalité et le volume du son.

— Sur un xylophone, un piano, un orgue ou tout autre instrument, demander à l'enfant de jouer une gamme.

— En se servant d'un appareil de radio, faire remarquer les variations.

Matériel: quatre pots identiques, numérotés de 1 à 4; les 3 premiers sont remplis à moitié, l'un avec des billes de bois, l'autre avec des billes de verre, le troisième avec des cailloux tandis que le dernier contient une cuillère.

Remarquer et expliquer l'augmentation du son lorsqu'on frappe sur chaque pot.

— Reprendre avec des pots remplis d'eau jusqu'à différents niveaux.

— Recommencer. L'enfant, le dos tourné, doit, selon le son, indiquer le numéro du pot que l'on a frappé.

Matériel: quatre cartons de lait identiques remplis respectivement de 2 cuillères à thé de grains de maïs, de riz, de sucre et dans le dernier, 2 cents.

— L'enfant doit mettre 2 par 2 les cartons qui produisent le même son (cf. boîte de sons Montessori).

Matériel: deux boîtes de conserve vides, des billes.

— Le professeur laisse tomber des billes dans une des boîtes de conserve. L'enfant doit en laisser tomber le même nombre dans l'autre.

— Même activité, mais l'enfant a les yeux bandés ou le dos tourné.

Matériel: xylophone.

— Plus le son est grave, plus l'enfant se fait petit; plus le son est aigu, plus l'enfant monte jusqu'à se tenir debout sur la pointe des pieds.

— On peut faire le même exercice en levant ou en baissant le bras.

Longueur des sons

— Avec les réglettes Cuisenaire, faire des associations longueur du son et longueur du mot. Une réglette longue représente un son aigu, une petite réglette un son grave.

— Mesurer la longueur des mots d'après les sons (voir exercice précédent) et comparer cette longueur « phonétique » à la longueur du mot écrit.

— Continuer cette même association en demandant à l'enfant de mesurer (représenter) des mots avec des cubes. Lui donner une feuille lignée.
  Variation dans la vitesse du son: utiliser le métronome, la parole, la musique, etc.

— Construire un émetteur de sons de type morse ou utiliser une sonnette dont on fera varier la durée du son avec la pression du doigt.
  Au tableau, l'enfant trace une ligne horizontale jusqu'au moment où le son s'arrête.

— Même chose avec une ligne verticale. Il s'agit d'amener l'enfant à apprécier la longueur d'un son.

— Travailler avec l'alphabet morse.

— L'enfant marche au son d'un sifflet. Il s'arrête lorsque le son s'arrête.

— L'enfant est assis sur une chaise, ses pieds touchent bien le plancher; il doit taper avec la pointe du pied pour un son court, avec le talon pour un son long (plus le son est fort, plus il est long: ceci est causé par l'intensité des vibrations reçues par l'oreille et leur durée plus longue.)

— Travailler la représentation spatiale de la longueur des sons, soit par des mouvements du corps ou de ses parties, soit par des structures spatio-graphiques.

— La longueur du son peut aussi être représentée par la durée. Demander de courir, marcher, sautiller, balancer la tête, les bras, au rythme d'un son quelconque et d'arrêter tout mouvement au son d'un consigne donnée.

— L'enfant allume et éteint une lampe de poche selon le son qu'il entend dans un mot ou dans une phrase.

— Analyser la durée des cris d'oiseaux, des pleurs de bébé, d'une expression de joie, etc.

Hauteur du son

Prendre différents instruments de musique tels que timbale, tambourin (bas), triangle (haut), etc.

— Associer les mouvements du corps avec la hauteur relative du son. Par exemple, l'enfant se lève (haut), se couche ou s'asseoit (bas), lève la main ou la baisse, lève le coude ou le baisse, lève la jambe ou la baisse, ouvre les doigts de sa main ou ferme le poing, etc.

Intensité

Montrer à l'enfant que le même son peut être fort ou faible.

— Sur un xylophone, un diapason, avec des cloches, un triangle, etc., faire entendre toutes les variations de son, du plus fort au plus faible.

— Faire apprécier toutes les nuances entre une démarche très sonore (animal lourd) et une démarche silencieuse (animal léger).

— Même chose avec la voix, du cri au murmure.

— Laisser tomber, de hauteurs variables, des objets de différentes grosseurs. Le son sera fort ou faible selon le cas.

— Prendre un tambour et montrer les différences de sons que l'on peut produire selon que la frappe est forte ou légère. Cet exercice peut se répéter avec de nombreux objets.

— Faire remarquer les différences entre les extrêmes, et le fait que les sons très forts sont généralement déplaisants et même douloureux à l'oreille.

Timbre

La clarté d'un son dépend généralement de la source d'émission, s'il s'agit d'instruments musicaux ; elle devient un élément important de corrélation avec la prononciation ou l'émission vocale de sons particuliers. Au moyen d'un magnétophone, démontrer à l'enfant la différence entre un son clair et un son confus.

— Introduire des bruits de fond et montrer que si ces derniers dépassent en intensité les bruits figurants, ceux-ci deviennent moins clairs, voire confus.

— Faire entendre des cris d'animaux et battre un tambour, ou faire du bruit avec la chaise, la porte en même temps.

— Reprendre l'exercice avec l'enfant les yeux bandés, en lui demandant d'identifier deux bruits et de dire lequel est le plus clair.

Séquence sonore (structure spatio-temporelle) :

— Demander à l'enfant de reproduire une séquence simple de frappes. Se servir soit d'un crayon que l'on frappe sur la table, ou n'importe quel autre instrument pouvant faire du bruit.

— Augmenter les séquences de bruit graduellement en y introduisant des variantes tel que 1, 3, 2 coups ou 3, 1, 2, etc...

— Reprendre en remplaçant les bruits de frappe par des phénomènes.

La mémoire auditive

Dès la naissance (et même avant), l'enfant, dont les organes phonateurs et les circuits neuro-sensoriels sont sains, reçoit et enregistre chaque jour, surtout à l'état d'éveil, des millions de sons différents et différenciés. Au fur et à mesure que l'enfant atteint une certaine maturité neurologique et intellectuelle, il devient capable d'interpréter les sons qui depuis longtemps déjà sont « enregistrés » dans des régions spécifiques de son cerveau. C'est la mémoire des premières imitations phonétiques.

Au début, l'enfant trouve difficile de prononcer, surtout certaines consonnes, même lorsque le concept ou le mot lui sont connus. L'expression orale est saccadée et ne prendra une tournure plus raffinée et plus complète que plus tard. Il est important que l'éducateur soit conscient des possibilités infinies, scientifiquement parlant, d'absorption du cerveau et que, dans cette optique, il alimente ce cerveau récepteur et enregistreur. Certains auteurs parlent de mémoire auditive à court terme et à long terme, et pensent qu'il est plus facile à un enfant de se souvenir de quelque chose qu'il vient d'entendre que d'un bruit perçu dans le passé (il en est de même pour la vision). Ceci est bien relatif.

Les premières associations audio-vocales, que l'enfant fait, sont celles de ses propres cris, pleurs et gazouillements. Il est nécessaire que l'éducateur reprenne (pour amener une prise de conscience) les premières étapes des découvertes vocales. Nous reverrons plus spécifiquement les associations de voyelles et voyelles-consonnes dans le chapitre du langage.

— Placez-vous face à l'enfant, tapez dans vos mains une, deux, trois, quatre fois, etc., et demandez-lui de vous imiter chaque fois jusqu'à ce que le jeu soit trop difficile. Ce premier exercice se déroule en séquences de frappes égales.

— Même exercice, mais l'enfant vous tourne le dos.

— Même exercice en variant la composition des séquences : deux frappes, un arrêt, trois frappes, etc.
Il est fortement recommandé de planifier les séquences sur une feuille ou sur une série de cartes de façon qu'elles soient les mêmes pour chaque enfant.

— Reprendre ces activités avec un tambour ou une boîte en fer. Au début l'enfant a aussi un tambour et répète immédiatement, puis on utilise qu'un seul tambour que l'on remet à l'enfant, après un intervalle de 5 à 15 secondes, pour qu'il répète. Montrer à l'enfant que les sons provoquent des vibrations. Expliquer la transmission des sons dans l'eau et le langage des poissons.

— Couvrir les yeux de l'enfant, jouer sur un gros tambour ; l'enfant doit dire ce qu'il entend : nombre de coups, rythme des séquences, vitesse, intensité, etc.

— Exercer la mémoire de l'enfant en lui faisant retenir quelques séquences de l'alphabet morse. Faites-lui envoyer des messages avec le tambour, etc.

— Reprendre l'exercice avec des sons non familiers à différents intervalles de la semaine et du mois.

— Associer son avec symbole spécifique, tel que carré, cercle et triangle, et élaborer des exercices de mémorisation auditive.

— Placer une série d'images devant l'enfant. Il nomme chacun des objets illustrés. On enlève et demande de répéter ces noms.

— La mémoire auditive implique que l'enfant comprend autant la longueur que la signification du ou des mots. Présenter une série de phrases qui s'allonge de plus en plus.
Par exemple :
Je vois.
Je vois un chat.
Je vois un chat et un chien.
Je vois un chat noir et un chien blanc.
Je vois un chat noir et un chien blanc qui se battent.

Le son dans le mot et dans la phrase.

Pour les exercices sur la perception auditive par le vocabulaire, il n'est pas nécessaire de grouper les mots par thèmes, par exemple, les fruits, les légumes, etc. ; ceci n'est valable que pour le développement du langage. Vous pouvez également choisir aussi bien des verbes d'action que des adjectifs. Lorsqu'on étudie la perception d'une seule lettre (voyelle ou consonne quelconque), faire en sorte que l'enfant trouve des mots contenant une seule fois ce son. Par exemple, si l'on étudie le *a*, les mots tels que avocat, achat, ou papa sont à éviter, en revanche les mots chat, gras, marionnettes, etc., fournissent d'excellents supports.

— Dans un deuxième temps, l'enfant doit déterminer la position du son au début, au milieu ou à la fin d'un mot d'au moins trois syllabes. Il est préférable de suivre l'alphabet pour ces exercices, c'est-à-dire partir de l'exemple : amener (début), atabler (début et milieu), avocat, (début et fin), dégât, forçat (fin), etc.

Ne jamais oublier que nous ne travaillons que sur le plan de la perception d'un son, soit d'une symbolisation auditive et non visuelle.

Il est important que le professeur planifie systématiquement et progressivement ces exercices et les adapte au niveau des capacités intellectuelles du groupe. Chacune des positions des sons est à travailler individuellement et ce, jusqu'à la maîtrise complète.

— Continuer ainsi pour toutes les lettres de l'alphabet, b, c, d, e, f, etc.
Ne pas hésiter à se servir de noms propres, surtout des prénoms des enfants, ainsi que du nom de divers pays. Lorsque chacune des lettres a été étudiée, l'enfant doit pouvoir retrouver le son d'une lettre, puis de plusieurs, à l'intérieur d'une phrase courte. Il est conseillé de se servir d'un dictionnaire pour enfants, par exemple le Larousse, ou du vocabulaire phonétique du Sablier afin de disposer d'une gamme de mots appropriés, faciles à comprendre et à illustrer.

La relation consonne-voyelle et leur position l'une par rapport à l'autre sont extrêmement importantes dans le mot ; par exemple, le *m* précède le *i*, dans le mot mime et le suit dans le mot immense.

Le professeur doit s'assurer que l'enfant a bien compris comment il prononce un son, car la prononciation de certains parents, non francophones surtout, peut provoquer des interférences dans la perception auditive.

Certains adultes ont la mauvaise habitude de parler très vite, sans articuler, ou combinant plusieurs mots, de sorte que l'enfant n'en entendra qu'un seul « j'n'ai pas » pour « je n'en ai pas » ou « s'tu possible » pour « est-ce possible », « j'm'en vas » pour « je m'en vais, » etc. Il sera donc nécessaire que l'enfant apprenne la prononciation et la longueur auditive exacte des mots.

Jeux et activités divers

- Choisir une courte histoire, poème ou fable ; demander à l'enfant de trouver des mots qui s'associent au thème de l'histoire et d'en extraire les sons importants.
- Nommer un objet et demander de trouver tous les sons qui puissent avoir un rapport phonétique avec le nom de cet objet. On acceptera indifféremment les adjectifs, verbes, etc.
- Trouver tous les sons qui se rapportent à un certain thème (un sport, un métier, un événement, une fête, etc.).
- Afin d'amener l'enfant à structurer les sons employés en association libre, lui suggérer un mot à partir duquel il devra trouver des associations audio-vocales.
  Les marionnettes sont très utiles pour faire ces exercices.
- Faire observer qu'une consonne associée à une voyelle crée un son et parfois plusieurs sons différents selon leur position l'une par rapport à l'autre.
- Jeu de charades auditives : un enfant derrière un écran produit différents bruits que les autres doivent identifier.
- Enregistrer une pièce radiophonique : certains lisent le dialogue, tandis que les autres font les bruits de fond (pas, portes qui claquent, bruits de verres, le vent, le tonnerre, etc.).
- Identifier et répéter dans l'ordre une séquence de 3, 4, 5 bruits différents (tasse vide, clef, objet de plastique, de caoutchouc, boîte en fer). Toujours graduer les séquences en se gardant de ne pas mêler le nombre de bruits demandés.
- Faire écouter et identifier des bruits particuliers, comme ceux d'une porte, d'un réveil, de camions, de voitures, de trains, d'une caisse enregistreuse (au magasin), du départ d'une course, les freins d'une auto, le bruit des avions, des hélicoptères, de la voiture qui passe sur un pont, ou dans les flaques d'eau, ou sur la neige, les *roues* d'une voiture qui tournent très rapidement, les *pas* d'un homme, d'un enfant, d'une dame, sur le bois, sur le ciment, ceux du chien, le bruit des différentes machines de construction, des tracteurs sur la ferme, des bateaux, paquebots et petits bateaux à moteur, etc. Certains sons sont plus faibles (ou plus doux) que d'autres, le bourdonnement d'une abeille, le tic tac d'une horloge, le robinet qui coule goutte à goutte, la respiration d'une personne qui dort (tout à fait différente de celle qui ronfle), etc. Certains animaux produisent des sons beaucoup plus doux que d'autres ; par exemple, le miaulement d'un chat, etc.

Avec des enfants plus âgés, nous pouvons faire des lectures de style Victor Borge, c'est-à-dire que les signes de ponctuation (virgule, point,

point d'interrogation, etc.) sont remplacés par un symbole auditif quelconque (par exemple, un bruit de la bouche). L'enfant doit alors lire le texte et faire le bruit indiqué ou choisi lorsqu'il rencontre un certain signe de ponctuation.

— Reprendre avec un texte en demandant à l'enfant de remplacer telle ou telle lettre puis syllabe par un bruit.
— Prononcer des parties de mots et demander à l'enfant de le compléter, ex. : auto — bille, télé — sion, etc...

Matériel suggéré pour l'entraînement aux divers aspects de la perception auditive

— Couvercles de casseroles
— Tamis à farine avec macaroni sec
— Rouleaux de serviettes de papier pour faire des flûtes
— Boîtes de sel vides avec riz ou cailloux
— Cuillères de bois
— Boîtes de farine avec couvercle (tambour) le couvercle seul (tambourin)
— Peignes recouverts de papier (harmonica)
— Boîtes à souliers encerclées d'élastiques de différentes grosseurs (harpe — guitare)
— Cubes de construction sur lesquels on colle du papier émeri
— Disques de musique populaire sans parole, mais s'adaptant aux structures rythmiques.

L'ensemble rythmique fait partie d'une séquence organisée, et de la désorganisation de celle-ci produit des sons déplaisants. Le rythme est un des éléments principaux de l'expression verbale, surtout pour la lecture.

Rythme

Avec un magnétophone ou avec des instruments musicaux, faire une démonstration des différents rythmes. Il est important de faire vivre le rythme aux enfants. Il existe des rythmes réguliers, d'autres saccadés.

— En suivant le son rythmé du métronome, balancer la tête, puis taper des pieds et des mains.
— Pas de l'oie, ou celle de la marche militaire allemande, ou celle du soldat de bois.
— Battre des mains ou frapper sur un tambourin en suivant un rythme de musique folklorique.

Certains livres de musique de base ou les livrets qui accompagnent les xylophones présentent des associations rythmes/couleurs. L'enfant apprend la gamme, et l'association avec les couleurs lui permet de percevoir la différence entre les sons. Montessori suggère des exercices bien spécifiques pour apprendre à discriminer les sons dans sa *Pédagogie scientifique* ; il en est de même des écoles du pianiste Roger Williams ou de *la Rythmique éducative*, de Robins et Ferris.

— Faire chanter des chansons rythmées et demander aux enfants de marquer le rythme en tapant dans leurs mains, en frappant ensemble des bâtons de rythmique ou en utilisant divers instruments musicaux.

— La musique des danses folkloriques sert de support à plusieurs activités rythmiques.

Association spatio-temporelle du rythme

— Un petit rond au tableau représente un battement des mains. Dessiner plusieurs séries de ronds et demander à l'enfant de représenter auditivement ce qu'il voit. Les séquences sont rythmées et égales.

— L'enfant le dos tourné, écoute interpréter une séquence avec des frappements des mains ; il devra ensuite représenter au tableau (avec des petits ronds) ce qu'il a entendu.

— Reprendre ces activités en combinant plusieurs séquences de sons.
L'enfant laissera un espace entre chaque représentation graphique de séquences.

— Reprendre les mêmes activités en demandant à l'enfant de reproduire ce qu'il entend en frappant toujours au même endroit afin de lui apprendre à distinguer le déplacement spatio-temporel. À cet effet, il est nécessaire au début de dessiner un petit cercle sur une feuille de papier placée devant lui, et de lui demander de répéter les séquences en tapant à l'intérieur du cercle avec un objet qui marque (crayon ou craie).

— Reprendre l'exercice, mais en supprimant le crayon et la feuille. On peut éventuellement laisser à l'enfant un bâtonnet dont il se servira pour battre le rythme.

— Le professeur prépare des cartes représentant graphiquement les séquences qu'il a dessinées au tableau. L'enfant doit reproduire ce qu'il voit.

— L'enfant, les yeux bandés ou le dos tourné, doit identifier des objets qui tombent, une gomme, un crayon, une feuille de papier, etc. toute chose qui produit un son bien distinct.

L'enfant doit pouvoir décrire leur façon de tomber, en spécifiant l'endroit où ils sont tombés, et le temps mis pour tomber.

— Lire une série de chiffres, de mots, de lettres que l'enfant devra répéter. Commencer avec 2-3-4-5-6. Reprendre l'exercice en demandant de répéter la séquence en sens inverse.

— Les structures rythmiques de Mira Stamback sont extrêmement utiles à cet effet (voir *Examen psychologique de l'enfant*, de René Zazzo).

Symbolisme des sons

Sélectionner des lettres de l'alphabet qui, selon la façon dont elles sont prononcées, peuvent évoquer une image ou une idée différente ; par exemple,

— a (ah) — peut indiquer la surprise ou le dégoût ;
— m (mmm) — l'ennui, le délice ou l'indécision ;
— ch — le silence ou un pneu qui se dégonfle ;
— v (vvv) — un enfant qui joue avec un avion ou un bateau à moteur ;
— o (oh) — la surprise ou la déception ;
— ou — un hibou ou le contentement ;
— b — un bébé ou une balle qui frappe le plancher ;
— z — le bruit d'une abeille ou un enfant qui joue avec une petite auto ;
— h — l'essoufflement ou le soulagement ;
— i (iii) — l'expression de joie des enfants qui glissent dans la neige ou la moquerie ;
— e (euh) — l'hésitation ou la mise en question ;
— g — bruit du bébé ou de la grenouille ;
— j — l'enfant qui a froid ou un aspirateur ;
— ouf — le jappement du chien ou le soulagement ;
— f — ph — le chat ou l'expression de chaleur ;
— é — l'interpellation ou la surprise.

   Matériel : petits cartons sur lesquels figurent les lettres de l'alphabet en script et en cursive (au moins cinq de chaque lettre).

— Placer les voyelles en ligne verticale a, e, i, o, u.

— Choisir une consonne, le *f* par exemple ; puis en dirigeant son doigt de la carte *f* à la carte *a*, il passe sans arrêter du son *f* au son *a* pour prononcer *fa*. Il peut aussi poser la carte *f* sur la carte *a*. (Fig. 4.6)

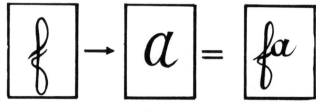

Fig. 4.6

— Reprendre avec e, i, o et u.

— Faire cet exercice jusqu'à ce que l'enfant maîtrise les associations fa, fe, fi, fo, fu, même lorsqu'on change les petites cartes de place sur la table ou l'ordre de la série.

— Même exercice, mais en faisant prononcer la voyelle d'abord af, ef, if, etc.

— Varier la combinaison des syllabes : fa, be, ja, lu, mo, puis if, bu, jo, al, et ainsi de suite.

— Construire des mots qui n'ont aucun sens avec des syllabes familières à l'enfant, exemple : maro — riba.

— Mélanger les petites cartes, demander à l'enfant de former tel ou tel son.
Ne pas empêcher l'enfant de fabriquer des mots s'il le désire. Cependant ce n'est pas le but de l'exercice. Les associations spécifiques seront étudiées dans la section du développement du langage.

— Former des sons qui rappellent des bruits ou des cris familiers (ceux du chat, du chien, de la cloche, etc.). Une fois de plus, cet exercice n'est pas centré sur l'orthographe, mais sur la phonétique.
Certains programmes de télévision sont extrêmement bien conçus pour répondre aux besoins d'associations phonétiques chez l'enfant.

— Préparer sur stencils des exercices d'associations phonétiques. Dessiner un objet et écrire son nom à côté.
Dessiner ensuite, dans le bas de la feuille, 6 objets au moins dont 3 auront un nom qui a le même son que l'objet pris comme modèle. L'enfant doit rechercher parmi les 6 objets ceux qui ont un nom qui présente un son commun avec le modèle.

— Diviser une feuille de papier en 8, et dans chaque case dessiner 2 objets. L'enfant devra dire si ces objets ont le même son ou non.

— Lire une suite de sons, à côté de chacun d'eux figurer un ou deux objets présentant un même élément phonique. L'enfant doit énumérer d'autres objets répondant au même critère.

— Noter qu'il ne s'agit pas de trouver des mots qui commencent par la même lettre comme avion, acheter, etc., mais strictement des associations de phonations rythmiques telles que *ar*me et *ar*bre, f*ou* et b*oue*, t*oux* et cl*ou*, m*ère* et p*ère*, etc.

— Diviser une feuille en deux, et dessiner dans chaque colonne une série d'objets. L'enfant devra joindre d'un trait un objet de la première colonne à un autre de la deuxième, ayant la même résonance phonétique, exemple :

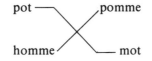

Sur une image représentant un paysage, une activité ou une scène quelconque, trouver tous les objets qui contiennent les sons a, e, o, etc.

— Apprendre (selon l'âge) quelques poèmes ou chansons avec une structure rythmique.

— Introduire différentes activités de jeux de charades, en jouant, par exemple, à colin-maillard ; l'enfant devinera premièrement qui a parlé et ensuite que signifie le son.

— Faire remarquer que certains sons semblables peuvent représenter différentes choses ; par exemple, le son (ou mot) « chou » peut signifier « retire-toi » ou être un terme amical, ou évoquer le bruit d'un train, ou être le nom d'un légume.

L'alphabet

— Indiquer à l'enfant les différentes positions des lèvres et de la langue par des illustrations ; placer l'enfant devant un miroir pour qu'il puisse observer les mouvements de sa bouche. (Fig. 4.7)

— Demander à l'enfant de placer la main sur sa gorge pour sentir les mouvements de la glotte, ainsi que sur son estomac pour sentir ceux du diaphragme. L'utilisation d'un maghétophone est fortement recommandée. La méthode de Borel-Maisonny constitue aussi un outil précieux. Lorsque les enfants présentent des déficiences auditives plus prononcées ou encore lorsque l'apprentissage avec les méthodes régulières ne semble pas se

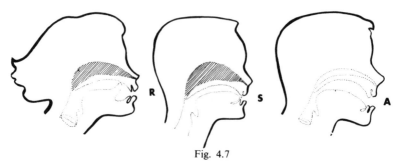

Fig. 4.7

dérouler selon le rythme attendu, nous recommandons de se procurer les méthodes employées dans les institutions pour sourds ou demi-sourds.

DÉFINITION DE TERMES

Acuité auditive – Expérience vécue par les organes récepteurs de l'oreille (interne et externe), et mesurable par l'audiomètre. Le fonctionnement normal de ces organes permet de différencier les sons et les bruits provenant de l'environnement immédiat; cela suppose une réception équivalente des deux oreilles.

Association – Capacité de conceptualiser les sons et de les associer à un signe spécifique.

Codage – Capacité de comprendre et de transmettre sous forme écrite les mots dictés verbalement. Un défaut courant consiste à faire de la transcription syllabique.

Décodage – Capacité d'attribuer un sens spécifique à une séquence donnée de sons; nécessite la structuration du rythme sonore, la connaissance des sons et du langage parlé.

« Directionalité » ou *situation du son* — Habileté à situer les sons dans le temps et dans l'espace. Exige l'intervention de la perception des sons et la possibilité de faire abstraction des bruits de fond.

Discrimination – Possibilité de différencier des autres sons, les sons familiers et les mots qui contiennent des sons familiers. Habileté à comprendre le matériel verbal.

Dyslexie auditive – Inhabileté à comprendre l'équivalent auditif des lettres et des mots appris.

Identification – Habileté à discriminer les fréquences, la tonalité, les contrastes, la longueur, l'amplitude des sons.

Limite d'audibilité – Réfère aux fréquences les plus basses et les plus hautes ainsi qu'au champ des fréquences de tonalité susceptibles d'être captées par l'oreille humaine.

Mémoire auditive – Habilité à discerner et à reconnaître les complexités auditives dans différentes circonstances, à les associer avec et par rapport à des sons déjà entendus.

Rythme spatio-temporel – Les sons évoluent dans l'espace et le temps, et doivent être reproduits au même rythme; c'est ce qu'on appelle un dialogue sonore (différences auditives, de grandeur, de direction, poids, hauteur, vitesse, etc.).

SUGGESTIONS DE MATÉRIEL ET DE JEUX

Alphabet de Borel-Maisonny
Alphabet morse
Alphabet phonétique du Sablier
Alphabet sonore
Appareil morse (à construire)
Boîtes Montessori
Cartons de lait plus ou moins remplis de sable
Cloches de différents types et grosseurs
Élément du *Peabody*
Enregistrement de cris et bruits d'animaux
Enregistrement des bruits de l'environnement
Fabrication d'instruments musicaux avec boîtes, terre glaise etc.
Fonetik (Lidec)
Horloge ou montre (au tic-tac perceptible)
Images associées à des sons spécifiques
Livres de contes
Magnétophones
Marionnettes
Masques
Séquences Mira Stamback
Sifflet
Stéthoscope
Tambour
Tasses en verre plus ou moins remplies d'eau
Téléphone fabriqué avec des boîtes ou des sacs
« Tok-back » pour correction des troubles d'articulation
Triangle
« Walkie talkie » industriel ou construit avec des boîtes de conserve
Xylophone

BIBLIOGRAPHIE

A. En français

AJURIAGUERRA, J. de, *Problèmes de psycho-linguistique*, Paris, PUF, « Bibliothèque scientifique internationale ».

ALAJOUANINE, T. et A. OMBREDANE, *le Syndrome de désintégration phonétique dans l'aphasie*, Paris, Masson 1939.

AURELON, P., *Recherches sur le développement mental des sourds-muets*, Paris, Centre national de recherche scientifique, 1957.

BELLER, I., *Rôle de l'oreille dans le traitement de la dyslexie*, Paris, Édicope, 1968.

BONDY, L., *Éléments de linguistique*, Paris Baillière, 1968.

—————, *Éléments de phonétique*, Paris, Baillière, 1968.

BOREL-MAISONNY, S., *Perception et éducation : la parole et perception des sons*, Neuchâtel, Delachaux et Niestlé, 1969.

CÔTÉ-PRÉFONTAINE, G., *la Lecture par la méthode du sablier*, Montréal, Beauchemin, 1965.

DENES, P., *la Chaîne de communication verbale*, Montréal, Laboratoire Bell, 1971.

DOMINIQUE (Frère), *les Enfants déficients de l'ouïe et leur développement*, Montréal, Lidec, 1946.

DONATIEN, S. G., *Initiation de l'enfant sourd au langage*, Paris, Éditions sociales françaises, 1965.

DUBOSSON, J., *Exercices perceptifs et sensori-moteurs*, Neuchâtel, Delachaux et Niestlé, 1957.

FILIATRAULT, B., *la Phonétique internationale au service de l'école active*, Montréal, Beauchemin, 1967.

GARDE, E., *la Voix*, Paris, PUF, « Que Sais-je ? », 1954.

GRIBENSKY A., *l'Audition*, Paris, PUF, « Que Sais-je ? », no 484, 1964.

HIRSCH, L., *la Mesure de l'audition*, Paris, Puf, 1956.

HUSSAN, R. N., *Mécanismes cérébraux du langage*, Paris, Expansion scientifique française, 1968.

LAFON, J.-C., *le Test phonétique et la mesure de l'audition*, Paris, Dunod, 1964.

LANGEVIN, C., *le Langage de votre enfant*, Québec, les Presses de l'Université Laval, 1970.

LE GALL, A., « le Redressement de certaines déficiences psychologiques et psycho-pédagogiques par l'appareil à effet Tomatis », *SFECMAS*, Bulletin du Centre d'études et de recherches médicales, 1967.

MALMBERG, B., *la Phonétique*, Paris, PUF, 1954.

MARTINET, A., *Éléments de linguistique générale*, Paris, Armand Colin, 1964 et 1969.

MATRAS, J. J., *le Son*, Paris, PUF, « Que Sais-je ? », 1957.

PARREL, G. S. de, *les Troubles de la phonation*, Paris, Gauthier-Villars, 1961.

TOMATIS, A., *l'Oreille et le langage*, Paris, Seuil, « Microcosme », 1963.

—————, « la Sélectivité auditive », *SFECMAS*, 1954.

ZENATTI, A., *le Développement génétique de la perception musicale*, Paris, Centre national de recherche scientifique, 1969.

B. En anglais

BRYANT, J., *Sounds Words and Actions*, Peek Publication.

DELACATO, C., *Diagnosis and Treatment of Speech Problems*, Springfield. Charles C. Thomas, 1963.

DEUTSCH, C., *Auditory Discrimination and Learning*, Merrill-Palmer, 1964.

KLASEN, E., *Audio-Visuo Motor Training*, Seattle, Peek Publication.

MESSING, E., *Teaching Children with Auditory Perceptual Handicaps*, Montréal, Quebec Association for Children with Learning Disabilities.

MYKLEBUST, H., *Auditory Disorders in Children*, New York, Grune & Stratton, 1954.

STRAUSS, A. et N. KEPHART, *Auditory Perception*, New York, Grune & Stratton.

WENGER, M. et F. JONES, *Audition*, New York, Holt, Rinehart & Winston, 1956.

CHAPITRE 5

HABILETÉS CONCEPTUELLES

L'enfant est curieux de nature. Il passe par des phases successives durant lesquelles il regarde, écoute, touche, examine, explore et s'étonne sans cesse. Par ce processus, il acquiert des connaissances symboliques sur lesquelles il bâtira des concepts. Ce désir d'explorer et de tout connaître est un phénomène des plus naturels. Plus il grandit, plus son système sensori-moteur se développe, s'affine et lui permet d'élargir ses notions d'espace et de causalité.

Nous avons abordé, dans le chapitre sur l'intégration sensori-motrice (chap. 2), la notion de découverte de l'espace. Nous devons, maintenant, permettre l'intellectualisation des relations de celle-ci par l'initiation de l'enfant aux formes qui font partie intégrante de tout espace (moteur, graphique, etc.). Ces formes sont le carré, le cercle, le triangle, le rectangle, l'ovale, etc.; elles représentent un aspect de l'espace en deux et trois dimensions qui fut étudié dans un chapitre précédent sur le plan du vécu corporel. À ce sujet, nous suggérons les exercices Frostig dans « constance de la forme ».

Il est donc extrêmement important d'exploiter cette attitude de recherche, naturelle chez l'enfant. Ceci n'implique pas que les professeurs doivent répondre aux questions que se pose l'enfant, mais ils doivent plutôt le placer dans une situation telle que ce besoin inné sera stimulé et qu'il cherchera à comprendre et à trouver lui-même les réponses aux phénomènes de son environnement. Voilà d'ailleurs la base sur laquelle reposera toute sa formation conceptuelle. Si nous nous référons au processus piagétien, l'acquisition de cette formation (ou des concepts) n'est pas concevable sans l'enchaînement graduel d'assimilation, d'accommodation et d'adaptation, ou encore l'éternel recherche de l'équilibre.

Il va sans dire que ce n'est ni une accumulation ni une addition de faits qui détermineront les schèmes conceptuels et les structureront en connaissance spécifique, mais bien le processus d'intégration, c'est-à-dire l'ensemble même qui permet que les concepts soient applicables à toute autre situation. On dit alors que les concepts élémentaires deviennent applicables.

L'apprentissage doit nécessairement être l'aboutissement d'un processus hiérarchisé partant de l'accumulation de faits. Les premières observations sont de type inductif, c'est-à-dire que l'enfant compare, classe et groupe pour arriver à se faire une idée.

Le développement des processus mentaux fut étudié par Piaget qui expliquait que ceux-ci procèdent par étapes successives, et que le passage à l'étape suivante présuppose que le processus mental de l'étape précédente est parfaitement assimilé.

La première étape, dite sensorimotrice, est celle de la découverte du milieu extérieur immédiat et, plus particulièrement, de la spatialité et de la causalité. De plus, la présence d'un objet permanent et stable, lui permet d'établir la confiance initiale de base.

La seconde démarche piagétienne est l'étape préconceptuelle connue aussi comme la période intuitive et symbolique. Le terme est clair, l'enfant n'a pas encore acquis l'aptitude à former des concepts, et l'expression de sa pensée se fait en grande partie à travers un langage symbolique simple qui ne tient pas compte de la notion de classe, de groupe ou d'ensemble d'objets comme telle, il vit et pense en fonction de ses expériences sensorielles, puisqu'il est incapable d'organiser ses perceptions.

Durant cette démarche, tout est encore très perceptuel, c'est-à-dire encore bien restreint et limité aux formes ou apparence de l'objet. Piaget dit que l'enfant est incapable de conservation, c'est-à-dire que le phénomène se déroule dans un sens unique, tel qu'il est perçu dans l'immédiat. Il est incapable de relation par réciprocité ou encore d'inversion de classe. La perception pure jouant le rôle primordial, l'enfant se borne à ce qu'il voit ; par exemple, transvaser de l'eau d'un verre de forme basse et large dans un verre étroit et haut signifie pour lui qu'il y a augmentation de quantité d'eau. Il est aussi incapable de comprendre la conservation de la matière, c'est-à-dire qu'il ne saisit pas le fait qu'un changement de forme (par exemple, une boule de plasticine aplatie en forme de tarte) ne change pas nécessairement la quantité ou le volume de la matière même. Les relations qu'il établit entre les objets et les événements ne sont pas stables et ne formeront que les débuts d'un système équilibré que l'on rencontrera durant la prochaine période de réalité concrète.

L'étape suivante est une période de transition qui conduit à la phase conceptuelle ; l'enfant devient capable d'intérioriser les actions, c'est-à-dire qu'il est alors capable d'opération. L'enfant s'interroge, c'est le début d'une logique élémentaire. Il tire ses propres conclusions, et cela par un processus beaucoup plus organisé ; il ordonne ses idées ; il est capable de les soumettre à une vérification objective et de faire part de ses résultats. Il n'a pas acquis la notion de conservation proprement dite, au tout début de ce stade, mais il est capable d'ordre, de sériation et de classification. L'étude de ce phénomène, lequel d'ailleurs s'étend sur une des plus longues périodes du développement des processus intellectuels, a permis de noter que l'enfant procède par classement en fonction des similitudes ou différences de structure, de couleur, de forme, et aussi de l'emploi et de l'utilité de l'objet. C'est la période où tout doit se rattacher au concret même lorsqu'il exprime une pensée abstraite, critique et anticipatoire. Il admet le principe de la conservation de la substance, puis enfin celui du poids, base même de la mesure et il construit le temps et l'espace où il établit les fondements de la pensée qui identifiera la dernière période de son développement intellectuel.

La dernière étape de maturité intellectuelle est appelée la période des opérations formelles. Sa pensée critique et abstraite devient alors raisonnée, et l'enfant est capable de formuler non seulement des hypothèses mais aussi de contrôler les variables en jeu. Acceptant le principe du volume, les notions de géométrie spatiale deviennent de plus en plus accessibles. Il va sans dire que l'éducateur doit tenir compte des variations du développement cognitif et faciliter le transfert des connaissances en vivant intensément avec l'enfant chacune des acquisitions. Ce dernier doit toujours être dans la situation d'apprentissage la plus favorable.

À cet effet, l'usage d'objets concrets ainsi que l'accumulation de données par des expériences vécues permettant l'observation directe sont nécessaires pour tous les exercices. L'enfant doit étudier son environnement pour trouver les informations qui lui serviront à expliquer les phénomènes statiques sous tous leurs angles, dimension, forme, etc., de même que les phénomènes dynamiques. Ce n'est qu'à la dernière étape qu'il sera capable de faire l'analyse critique et hypothétique ainsi que la synthèse de ces phénomènes.

De façon générale, la meilleure expression des habiletés conceptuelles se trouve dans les mathématiques avec son langage et ses mécanismes, c'est-à-dire l'expression des relations quantitatives et spatiales et dont la fonction théorique est de faciliter la pensée.

Qu'est-ce qu'un concept ?

Comme dans un système d'ordinateur, le concept représente l'élément structural de base qui sert de source d'information à toute connaissance. C'est un ensemble de composantes présentant des caractéristiques spécifiques par lesquelles un objet ou un événement est défini.

La notion de concept n'est évidemment pas statique ; elle n'est pas non plus l'aboutissement d'une démarche unique, car elle est constamment remise en question par la réception d'informations additionnelles provenant des organes sensoriels. C'est le cerveau qui devra faire la synthèse des multiples stimuli reçus pour les transformer en perceptions.

L'apprentissage des concepts commence dès le très jeune âge. Par exemple l'enfant apprend la différence entre « pareil » et « pas pareil », qui sont deux concepts essentiels pour la compréhension des mathématiques ainsi que de la majorité des matières au programme. Une des premières démarches doit donc se faire au niveau des symboles verbaux et non verbaux. L'enfant doit posséder le langage nécessaire à la manipulation conceptuelle.

Associations qualitatives

À partir d'une inspection visuelle l'enfant devra être capable d'observer la configuration des choses qui l'entourent et de déterminer les ressemblances. Il existe plusieurs types de jeux de figures géométriques en 2 et 3 dimensions (jeux d'encastrement) ainsi que des jeux de cubes qui sont très utiles pour les exercices de manipulation des formes ou figures. La qualité d'un objet deviendra une des notions sur lesquelles l'enfant reposera ses données de groupe, d'ensemble.

Il faudra commencer par les jeux qui ne présentent qu'une seule figure placée dans un espace spécifique (par exemple, le matériel Montessori). Observer si l'enfant tâtonne avant de trouver l'espace qui correspond à la figure. Très souvent, il ne porte que peu d'attention et n'associe pas la forme de l'objet à la forme de l'espace qui lui est réservé.

Il sera nécessaire de présenter toutes les figures à l'enfant, sous différents aspects (bidimensionnels, tridimensionnels, unidimensionnels). Ajouter par la suite une nouvelle dimension avec différentes textures (velours, papier émeri, etc.).

— Fabriquer une immense boîte dont chaque côté représente une figure de forme différente. L'enfant doit entrer par une figure et sortir par une autre. (Fig. 5.1)

— Utiliser la même boîte pour faire lancer des petits sacs de sable dans les différentes ouvertures (distance 1,80 m [6 pieds]).

— Varier la dimension des figures ; varier les couleurs.

— Fabriquer une petite boîte carrée d'environ 15–20 pouces sur laquelle vous avez perforé une ouverture sur chacun de ses côtés. L'enfant aura à identifier différentes figures placées dans la boîte, avec ses mains et sans regarder.

— Varier l'exercice en demandant à l'enfant de trouver telle ou telle forme ou encore en montrant l'image de la forme qu'il doit trouver.

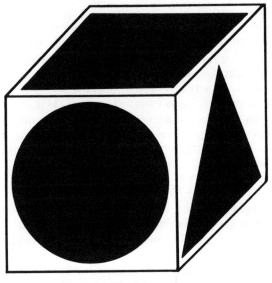

Fig. 5.1

— Demander à l'enfant de montrer tout ce qui est carré, rond, triangulaire dans la pièce, dans une page de revue, ou bien lui faire nommer de mémoire tout ce qu'il connaît comme ayant telle ou telle forme. (Cf, stencils de Continental Press : Thinking Skills).

On recommande, pour les classes de petits, de décorer les murs, les planchers et même le plafond avec des éléments représentant les formes de base (employer des cadres, des cartons, des boîtes, etc), surtout lorsque la notion de forme n'est pas encore bien assimilée. Les enfants doivent être encouragés à découper, coller et manipuler ces figures.

— Lorsque les locaux le permettent dessiner des figures sur le plancher qui formeront une sorte de jeu de marelle. Lancer un palet dans la ou les cases (varier les distances).

Conservation

L'enfant doit découvrir que la quantité d'une matière, substance objet ou élément reste constante, fixe, invariable ou inaltérable même si on le soumet à toute sorte de déformation ou transformation. Il y a donc conservation de quantité lorsque l'objet demeure égal à lui-même malgré les modifications de forme ou de présentation qu'on peut lui imposer. Pour résoudre ce problème l'enfant doit pouvoir dépasser des données uniquement perceptives immédiates. Il doit pouvoir conceptualiser la notion de permanence de la quantité en excluant les transformations. Le concept du nombre équivaut à une multitude mesurée par l'unité, le tout ou l'objet égal à lui-même.

— Montrer que les formes restent toujours les mêmes si on change leur couleur, leur grandeur, leur position dans l'espace, etc. On doit aussi se servir d'objets concrets, tels qu'une chaise, et symboliques, tels que lettres et chiffres. (Fig. 5.2)

— Montrer que forme ne veut pas seulement dire carré, rond, triangle, rectangle, mais aussi tout ce qui nous entoure : la forme humaine (reprendre travaux sur la silhouette), la forme des animaux, etc.

Pour ces exercices et pour les travaux de pliage, se reporter au chapitre 3, p. 103-104.

— Avec de la plasticine, montrer qu'une forme peut varier si on la manipule (voir épreuve de Piaget) sans changer de quantité.

— Reprendre avec la démonstration de la conservation du liquide continu et discontinu.

Fig. 5.2

Classification

Une habileté des plus importantes que l'enfant apprend par habitude, c'est que les objets font partie d'un groupe. Avant que l'enfant puisse classifier un objet sur la base de plus d'un seul attribut, il doit être capable de rétention de plusieurs idées associées dont l'aboutissement est la multiplication. Cette notion doit donc être travaillée étape par étape. L'inclusion de la notion de classes, soit de comprendre que si un objet fait partie d'une classe, il existe alors une classe composée d'éléments dont cet objet est un exemple.

— Faire faire des assortiments d'objets selon une qualité, par exemple la couleur.
— Reprendre avec deux attributs, par exemple couleur et forme.

Ordre des nombres (sériation)

— Présenter des photos de groupe ; demander qui est le premier, le second, le dixième, etc.
L'enfant doit être capable de voir que 8 est plus petit que 9, et plus grand que 7 ou 6, 5, 4, 3, 2 ou 1.
— Jeu de dominos. Se servir aussi de *peg-board* ou d'un jeu de billes et demander à l'enfant d'assembler les objets selon un nombre demandé et dans une direction donnée. Travailler avec des groupes d'objets ; par exemple, un livre, une plume et une règle formant un groupe d'objets différents. La collection « Éléments de mathématique moderne » offre de nombreux exercices qui correspondent au concept du nombre.
— Préparer des stencils avec des chiffres disposés çà et là sur la feuille. L'enfant trace un trait d'un chiffre à l'autre dans un ordre quelconque et fait ainsi un dessin. (Fig. 5.3)

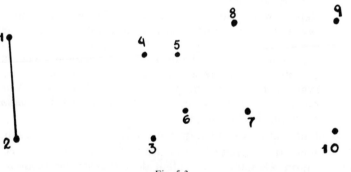

Fig. 5.3

— Faire des exercices de classification où l'enfant doit se fier plus aux apparences perceptuelles que quantitatives. Débuter avec des cubes ou d'autres objets, puis reprendre en préparant des exercices sur stencils.
Matériel : une horloge de carton avec des chiffres et leurs couleurs symboliques.
Il est très facile de construire une horloge de carton sur laquelle on placera les chiffres en couleurs, de 1 à 10. (Se servir des

mêmes couleurs que celles utilisées au tableau.) Fixer une flèche qui tourne manuellement ; l'enfant devra lire le numéro sur lequel cette flèche s'arrête.

— Fabriquer un jeu, avec une matière quelconque, sur lequel sont inscrits les chiffres de 1 à 10 ; on ajoute une manivelle. L'enfant la tourne, et il doit faire autant de sauts que le nombre indiqué par la manivelle lorsqu'elle s'arrête.

— Couper et coudre des costumes représentant les chiffres de 1 à 10 et faire vivre les opérations mathématiques à l'enfant.

— Se servir de la méthode du docteur Kirshner et demander à l'enfant d'illustrer les chiffres avec son corps, ou encore avec une corde sur le plancher.
Il existe une grande quantité de jeux de cubes, de loto, du genre de ceux proposés par Éditeurope. On peut aussi utiliser le matériel d'enseignement de la mathématique moderne, de Fernand Nathan, *Mécanisme mathématique.*

Raisonnement quantitatif

Avant de commencer les exercices, il faut s'assurer que l'enfant est capable d'établir une première relation de terme à terme, une correspondance de un à un (équivalence).

— Demander à l'enfant d'associer un nombre de chapeaux à un nombre de têtes.

— Reprendre en rendant l'exercice de plus en plus complexe, à savoir, un nombre de souliers à un nombre de personnes, un service de table à un nombre d'invités, etc. Faire ces exercices verbalement et aussi à l'aide de dessins. Demander à l'enfant de compter, c'est-à-dire apprendre mécaniquement à associer le symbole auditif au symbole visuel (voir *Mathematics Numbers*, publiés par Ann Arbor, ou certains stencils du *Continental Press* [droite linéaire]).

— Faire faire la distinction entre quelque, peu, beaucoup, etc.

— Faire des exercices d'ordination, de sériation et de classification. Demander à l'enfant de verbaliser sur ce qu'il voit : forme, grandeur, largeur, etc. Se servir d'objets, de découpages, de réglettes Cuisenaire, de balances, etc.

Avant d'entreprendre l'étude des mécanismes mathématiques, — ou plutôt de pair avec ces exercices, — il est recommandé d'entreprendre un programme précis et gradué d'enseignement des sciences à l'élémentaire afin de faire manipuler et vivre intensément à l'enfant tous les changements, toutes les transformations mathématiques.

Nous croyons que le livre *Comment enseigner les sciences à l'élémentaire*, de Selberg, Neal et Vessel, constitue l'une des méthodes les plus complètes et les mieux adaptées aux divers niveaux de développement intellectuel. Les exercices sont clairs et leur but, autant que les processus à employer en fonction de chaque âge ou selon le stade de développement, sont nettement définis.

- Classer les objets selon leur forme.
  L'épreuve de dichotomie de Piaget est extrêmement utile pour cette première étape de classification.

- Présenter à l'enfant 2 séries de carrés et de ronds de deux grandeurs et de deux couleurs différentes ; l'enfant doit rapprocher les éléments de même forme, de même couleur ou de même dimension.

- Ajouter progressivement d'autres formes. On suggère l'emploi de bouts de ficelle (matériau plus facile à manier pour l'enfant) pour délimiter les ensembles.

- Dessiner des séries de 4 éléments, dont 3 sont identiques, et demander à l'enfant de trouver celui qui n'appartient pas au groupe.

- Prendre un papier buvard sur lequel on laisse tomber une goutte d'encre ou de liquide coloré. L'enfant observe et décrit les transformations de la figure formée par la goutte.

- On peut employer de l'huile ou d'autres substances et répéter l'expérience, de sorte que l'enfant intègre la notion de classification.

- Classer des animaux selon leur taille ou selon leur provenance ; animaux domestiques ou sauvages, ou selon la famille, ceux qui volent, etc.

- Trouver un ensemble d'objets identiques : crayons (à mine, de couleur, de cire, etc.), lettres (petites, grandes, cursives, etc.), chiffres (romains, arabes), etc.

- Nommer des objets qui coupent (vitre, lame, couteau, etc.).

- Associer des activités avec les vêtements qui s'y rapportent (activités d'hiver avec vêtements d'hiver, etc.).

- Grouper tous les types d'avions, d'automobiles, de bicyclettes, de bateaux.
  Il existe sur le marché toutes sortes de cartes servant aux exercices de classification. *Continental Press* propose une série de stencils dans les sections *Thinking Skills* et *Science Day by Day.*

- L'enfant doit aussi réussir à classifier selon la position dans le temps et l'espace en se référant à des notions telles que : en haut, en bas, premier, dernier, plus, moins, vieux, jeune, etc.

— Classer les lettres selon leur position par rapport à la ligne (plus haut, plus bas).

— Classer les mots selon leur longueur.

— Discuter avec l'enfant des notions plus complexes de séries, de classes et de sous-groupes. Par exemple, parmi les animaux, il y a les chiens, parmi lesquels on trouve des types spécifiques (race), par exemple, le caniche, etc. Parmi les avions, il y a différents types d'avions : avec hélices, avec deux ou trois moteurs, etc.

— Discuter aussi le concept des opposés : le jour et la nuit, le chaud et le froid, bonheur et tristesse, bon et mauvais, etc.

— Apprendre à l'enfant à commencer une collection quelconque (papillons, coquilles, graines, feuilles, etc.).

Concept du nombre

Le concept du nombre équivaut à une multitude mesurée par l'unité, le tout ou l'objet égal à lui-même.

Il s'agit maintenant de travailler la correspondance terme à terme c'est-à-dire le rapport de un à un pour amener l'enfant à dépasser l'évaluation ou le raisonnement basé sur des données uniquement perceptives où une pile ou tas de grains de riz de même hauteur et grosseur qu'un tas de grains de maïs ne veut pas dire qu'il y a autant de riz que de maïs.

— Placer une série égale de 7–9 jetons de couleurs différentes un en dessous de l'autre. Faire compter et identifier chacune des séries. Ensuite, déplacer la rangée du haut en permettant plus d'espace entre les jetons que celle du bas.

— Prendre des bouchons de bouteilles de liqueurs en y insérant un sou par bouchon. Sortir les sous et les placer en bas de chaque bouchon et reprendre la correspondance terme à terme.

— Reprendre en remplaçant les bouchons par des objets variés et jouer au marchand. Après l'échange d'un objet pour un sou demander à l'enfant si on peut acheter autant d'objets qu'il y a de sous.

— Après 2 ou 3 échanges demander à l'enfant de trouver combien de sous seraient cachés dans votre main et faire ainsi une soustraction.

— Reprendre en échangeant deux objets pour 1 sou.

— Reprendre.

— Avec l'aide de petits animaux et des grains représentant de la nourriture, travailler la notion de partage.

— Expliquer le partage d'un gâteau entre plusieurs personnes.

Les nombres, symboles de quantité s'apprennent très jeune. Cependant l'intégration même du concept demande très souvent un travail laborieux, parce qu'en général les enfants identifient par conditionnement. Afin de comprendre le concept du nombre, l'enfant doit comprendre que l'ordre d'un groupe d'objets n'affecte pas leur nombre.

— Placer 5 objets dans un ordre quelconque et demander à l'enfant de les compter. Changer les objets de place et demander à l'enfant de compter à nouveau.

— Ajouter progressivement plus d'objets.

— Jeux de construction avec cubes de couleurs ; faire des exercices de montage, de démontage, puis assembler de nouveau.

— Dessiner ou peindre les chiffres de 1 à 10 sur des cartons de 15 cm de haut par 2 cm de large (6 × ¾ po) ; les placer bien en évidence (pas trop haut, il faut qu'ils soient au niveau des yeux des enfants). Ils resteront là toute l'année scolaire.

Lorsque l'on se sert du matériel Cuisenaire, illustrer les nombres avec des couleurs : 1 = blanc, 2 = rouge, 3 = vert, 4 = rose foncé, 5 = jaune, 6 = vert foncé, 7 = noir, 8 = brun, 9 = bleu royal, 10 = jaune orangé.

Il faut prévoir plus ou moins 8 semaines, selon le niveau du groupe, avant de passer aux mécanismes mathématiques.
Étudier un nombre à la fois. Celui-ci sera illustré par son symbole, par sa représentation graphique et par un objet. Par exemple, 1 sera illustré sur un grand carton avec 1 et UN, et un carré, ou un rond, ou un triangle, etc., et un objet ou un animal quelconque.

— Trouver sur son corps tout ce qui représente le nombre 1 : le nez, la bouche, la tête, le corps, etc. Tout autour petit à petit on illustre ce qui représente le chiffre 1. La classe a *une* porte, une porte a *une* poignée. Une voiture n'a qu'*un* volant pour conduire, *un* klaxon, on met *un* chapeau, on boit *un* verre de lait à la fois, on a *une* montre, le professeur n'a qu'*un* bureau. On doit amener l'enfant à reconnaître le symbole 1 (UN) sous toutes ses formes, il doit être capable de le lire et de le tracer.

— Dans une série de lettres et de chiffres, sortir tous les *1*, tous les *u* et les *n*.

— Présenter une série d'objets ; encercler ceux qui sont uniques.

— Faire des exercices de traçage du 1 (une verticale de haut en bas).

— *Exercices de vocabulaire*. Associer à cette notion, un vocabulaire qui s'y rapporte : seul, unique, premier, entier, etc.
Procéder de la même façon pour le chiffre deux, puis pour les chiffres trois, quatre, cinq, six, etc.

— Essayer de faire trouver par l'enfant, le nombre étudié, partout où il peut le voir ; par exemple, le numéro de l'autobus ou d'une voiture de course, ou sur un chandail des Canadiens, sur une porte, certains prix d'aliments, l'adresse ou le numéro de téléphone de l'enfant, etc.

— Dessiner sur des cartons chaque chiffre de 1 à 10, puis les découper pour en faire un puzzle. Commencer par couper seulement en 2 morceaux et lorsque l'enfant manipule ce puzzle facilement, couper en trois et même en quatre morceaux.

— Couper une boîte ou un cylindre et l'étendre à plat. Attirer l'attention de l'enfant sur le changement de volume.

Exercices

— Dessins incomplets à compléter pour avoir une totalité.

— Présenter une image ; compter les différents éléments de l'image : les arbres, les enfants, les animaux, etc.

- - Présenter une feuille sur laquelle on aura dessiné 5 enfants ; demander de dessiner un nombre de chapeaux ou de souliers correspondant au nombre d'enfants.

— Même exercice avec des voitures (on ne dessine pas les roues). L'enfant doit dessiner le nombre de roues nécessaires. (Fig. 5.4)

— *Pliage*. Plier une feuille de papier en 2, puis en 4, en 6, en 8. L'enfant dessine la feuille non pliée, puis la feuille pliée.

— Même exercice avec un cercle, un triangle, etc.

— Faire des stencils représentant des objets en nombre variable. En haut, inscrire les chiffres de 1 à 10. L'enfant encercle le chiffre correspondant au nombre d'objets présentés.

— Même exercice, mais sans inscrire les chiffres.
L'enfant encercle directement le nombre d'objets annoncé par le professeur.

Continental Press offre là encore des stencils relatifs au concept du nombre.

— Présenter à l'enfant des stencils avec des chiffres ; par exemple 2, 4, 5, 1, 3, 7. L'enfant dessine à côté du chiffre un nombre correspondant de balles, de carrés, etc.

Fig. 5.4

Notion d'Ordre

La notion d'ordre est celle qui permettra à l'enfant de construire sa représentation de l'espace.

— Construire une série d'un nombre impair (7-9-1...). Placer en rang une série et demander à l'enfant de choisir dans ce qui reste et placer dans la même série ou ordre.

— Reprendre en demandant à l'enfant de placer sa série dans l'ordre inverse.

— Vérifier en déplaçant les objets de sorte que l'espace entre chacun d'eux diffère dans chaque série.

— Reprendre avec l'exercice de l'ordre alterné.

Espace

Le vécu de l'enfant se fait généralement dans un monde tri-dimensionnel. Il s'agit alors pour lui de construire l'espace bidimensionnel.

— Au début, il est nécessaire de voir comment l'enfant se situe dans un espace tridimensionnel en lui demandant d'identifier les choses autour de lui.

— Reprendre ou lui demander de raconter les situations et l'emplacement des objets par rapport à son copain qui est à côté de lui, en arrière de la classe, etc.

— Construire deux séries identiques de paysages avec ponts, ferme, animaux et personnage, et demander à l'enfant de placer tel ou tel objet, animal ou personne dans la même position que celui que vous avez déjà placé auparavant. Demander à l'enfant d'expliquer.

— Introduire des variables qualitatives telles que la couleur ou l'espèce animale ou autre.

— Travailler l'espace graphique en suivant les grandes données du développement défini par Bender ou Gesell ou tout autre auteur.

— Demander à l'enfant de copier différentes formes et augmenter progressivement de la forme simple à la forme plus complexe représentant la perspective et le professeur.

— Faire des exercices de relations spatiales tels que suggérés par M. Frostig.

La grandeur (discrimination)

— Commencer par faire prendre conscience à l'enfant de sa propre taille par rapport aux autres et par rapport aux choses. Combien mesures-tu? Es-tu petit comme un lapin ou un canard? petit comme un bébé ou grand comme ton papa, comme une girafe, comme la maison? mince comme un bâton, comme un serpent, une corde, ou gros comme l'éléphant, comme cet édifice... ?

Par rapport à certaines activités, de quelle grandeur es-tu? trop petit pour faire certaines choses; par exemple, conduire un autobus ou faire un voyage sur la lune, pour soulever une baleine ou encore pour tenir une grosse vache sur tes genoux, trop petit pour manger tout un poulet ou tout un melon d'eau, etc. Par contre, tu es trop gros pour faire certaines choses, comme nager dans l'aquarium, entrer dans la cage de l'oiseau, dormir dans le lit de bébé.

Mais tu es juste de la bonne grandeur pour faire certaines autres choses : aller à la bicyclette, faire ton lit, jouer à la balançoire, aider maman dans la maison, etc. (Choisir des activités adaptées à l'âge de l'enfant.)

Comparaison des grandeurs

— Tu peux être plus gros que ta petite sœur ou plus mince que ton grand frère. Tu peux être de la même taille que ton ami, tu peux être le plus gros de ta famille ou tu peux être le plus mince. Tu peux être la plus petite fille de la rue, tu peux être la plus grande de tes petites amies. À Noël, tu reçois des paquets de toutes sortes de grandeur ; il y en a de plus gros que d'autres.
Mêmes remarques avec les poupées, les voitures, les maisons, les arbres, etc.

— Demander aux enfants de trouver dans un ensemble d'objets quel est le plus large, le plus haut, le plus petit. (Fig. 5.5) Faire des exercices d'association : présenter une grande et une petite poupée ; demander de rassembler les vêtements, les chaussures qui conviennent à chacune.

— Même jeu avec des seaux de différentes grandeurs pour lesquels on doit trouver des pelles appropriées.

Fig. 5.5

— L'histoire des trois ours : le grand, le moyen, le petit est très intéressante pour aborder l'étude de cette notion. Ils avaient chacun un lit de longueur et de grandeur différentes, trois bols de céréales différents, trois chaises différentes, etc.

— Construire des cages ou des portes adaptées à différents animaux et demander par quelle porte passera chacun d'eux. Il existe une multitude d'exercices d'association grandeur, grosseur, et des dessins et jeux de toutes sortes. On trouvera aussi un grand choix de stencils.
À l'intérieur d'un ensemble il y a aussi des différences de grandeur.

— Montrer trois sapins dans un champ ou trois autres arbres ; trouver quel est le plus grand et quel est le plus petit. Parmi un choix de chapeaux de différentes grandeurs et formes, il y en a un pour papa, un pour maman, un pour l'enfant, un pour le bébé.

— Même exercice avec des vêtements, des chaussures, des manteaux, etc.

Contenu symbolique de la notion de grandeur

Souvent le choix de la grandeur des objets comporte un motif ; par exemple, si on a très faim, est-ce qu'on va choisir une grosse pomme ou une petite pomme ? si on a un peu soif, le grand verre ou le petit verre ? si on a un peu faim, le grand bol ou le petit ? etc.

On peut aussi offrir quelque chose à son meilleur ami. Est-ce qu'on lui offrira le plus grand verre d'orangeade ou le plus petit ? le plus gros morceau de gâteau ou le plus petit ? etc.

Modification de la grandeur

Il y a des choses qui sont plus grandes ou plus petites, mais il y a aussi des choses qui changent de grandeur, qui deviennent plus grandes ou plus petites. Le petit chien devient de plus en plus gros, une graine dans la terre pousse et devient une fleur, lorsque maman fait griller du maïs (pour faire du pop corn) la couleur et la forme changent, lorsque maman fait un gâteau, elle le place dans le four, et en cuisant il devient très gros. L'enfant aussi change de grandeur (on lui montre des photos lorsqu'il était bébé), etc.

Les choses peuvent aussi devenir plus petites. Le cornet de crème glacée que l'on mange, une chandelle qui brûle, un bonhomme de neige qui fond au soleil.

— Montrer à l'enfant que les rayons du soleil ou un rayon de lumière projettent l'ombre de son corps. Le matin les ombres sont beaucoup plus grandes qu'à midi.

— Demander à l'enfant d'expliquer ce qui se passe.

— Lui demander de se baisser et de regarder l'ombre se raccourcir.

— Lorsqu'on a des miroirs pivotants, convexes ou concaves, on peut faire les mêmes expériences.

— Faire remarquer à l'enfant que la distance peut modifier la perception d'une grandeur : le cerf-volant ou l'avion que l'on aperçoit dans le ciel paraissent beaucoup plus petits qu'ils ne le sont en réalité.

— Montrer que le phénomène est le même avec des personnes : lorsqu'il s'éloigne ses amis le voient tout petit.

— Prendre une feuille de papier carrée et la plier en deux parties égales ; faire remarquer à l'enfant qu'un morceau de papier peut devenir plus étroit, et lui demander de représenter graphiquement les deux sections. Répéter ces exercices plusieurs fois, puis demander à l'enfant de plier la feuille en quatre ; on obtient alors quatre unités. Cela est un exercice préalable à l'étude des fractions ; on aborde le fait que l'unité peut être fractionnée (par exemple, si l'on coupe une pizza en deux, on obtient une demi-pizza). De la même façon, on plie le morceau de papier en triangle. (Fig. 5.6)

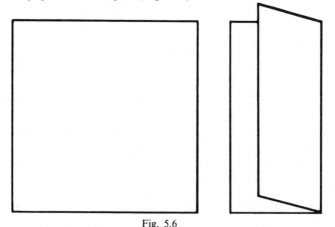

Fig. 5.6

Mesure

Il suffit parfois de regarder un objet pour apprécier ses dimensions : par exemple, on voit bien qu'un chihuahua est un petit chien et qu'un berger allemand est un gros chien.

L'acquisition de la notion de mesure est une condition préalable et indispensable à l'apprentissage mathématique ; on mesure l'espace, le temps, la grandeur, la force, l'énergie, la grosseur, etc. Montrer aux enfants l'intérêt de mesurer les choses, puisque si on ne mesurait pas, on risquerait d'acheter un vêtement trop petit ou une planche trop courte, etc.

Il existe différents moyens de mesurer : on peut se servir d'un bout de corde, d'un bâton, d'une règle à mesurer, etc... mais ceux-ci impliquent une séparation des parties en unités de longueurs fixes et aussi un déplacement sur une droite linéaire c'est-à-dire une mise bout à bout des unités.

Avec quel type d'instruments peut-on mesurer? On a vu que l'horloge et le sablier mesuraient le temps ; mais de quoi se sert-on pour mesurer les longueurs, largeurs, hauteurs, circonférences?

— Présenter à l'enfant différentes règles à mesurer (en bois, en tissu, etc.) ; lui montrer qu'elles peuvent être de différentes longueurs (un pied, une verge (3 pieds), un mètre, etc.).

— Montrez-lui les instruments de mesure des couturières, des menuisiers, des architectes, des mathématiciens, etc. (introduire le système métrique).

— Attirer l'attention sur le fait qu'un instrument de mesure est fait en fonction de la chose à mesurer : le ruban mesure du tissu, le thermomètre mesure la température, il y a des tasses graduées et des cuillères qui servent à mesurer la farine, des verres gradués pour mesurer les liquides, etc.

— Montrer que l'instrument est conçu aussi en fonction de la grandeur à mesurer ; la toise, pour mesurer les personnes ; la règle, pour mesurer des petites longueurs au bureau, etc.

— Indiquer le nombre de centimètres (ou de pouces) qu'il y a sur une règle. Montrer combien de fois on peut reporter la main le long d'un bâton ou le long de son pupitre, combien de fois il faut vider un petit pot pour remplir un grand, etc.

— Montrer que l'unité reste la même, même si on en change la forme. Prendre un petit bout de corde, le placer en rond, puis en cercle brisé et faire remarquer que c'est la même mesure. (Fig. 5.7)

— Signaler que la seconde est une unité pour mesurer le temps.

— La longueur est une unité qui se conserve aussi même si on lui donne toute sorte de direction. Déplacer un objet sur une surface déterminée soit par un trait ou une règle et demander à l'enfant de tracer la même longueur, distance parcours ou autre.

— Reprendre en introduisant des trajets en zig zag, en courbe et coupés.

— Montrer à l'enfant à se servir de règle, de ficelle et de toute autre forme d'objet pouvant servir à vérifier la longueur du trajet.

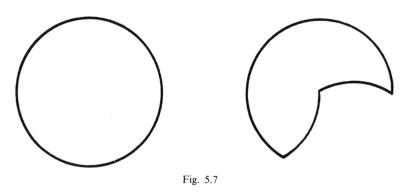

Fig. 5.7

Exercices sur les mesures

— Trouver ce qui est plus grand : un centimètre ou un mètre, un pied ou une verge, une minute ou une seconde, une journée ou une heure, etc.

— Faire des exercices de mesure des liquides, des longueurs, du temps, etc.

— Susciter des discussions sur les différents appareils à mesurer, la quantité d'essence et le prix à payer dans les stations-service ; la vitesse et la distance parcourue par une voiture, etc.

— Comparer la longueur des doigts de la main.

— Mesurer et comparer différents objets dans la classe.

— Amener l'enfant à prendre conscience de la superficie des objets et montrer qu'elle aussi se mesure. Découper pour cela un morceau de carton carré. Placer le carton sur une feuille de papier et demander à l'enfant d'en tracer le contour ; reprendre avec 4, 9 et 16 carrés. La forme reste la même, ce n'est que la superficie qui change.

— De même, faire observer que la quantité des liquides reste la même quelle que soit la forme ou la position des récipients. La notion de mesure précède la compréhension de la distance ; elle aboutit à un chiffre, à une unité.

— Observer qu'une même quantité peut occuper une surface différente (épreuve des coquetiers de Piaget).

Notion de poids

— Faire apprécier les différences de poids entre les objets, entre les personnes.

— Présenter différentes sortes de balances, celle du boucher, celle de la maman, la balance pour peser le bébé, celle pour peser les camions sur les routes, etc.

— Montrer comment les choses se vendent selon leur poids (au kilo, à la livre) : une livre de beurre, 5 kilos de pommes de terre, etc. (jouer à la marchande en donnant un prix pour les articles).

Solution de problèmes

— Remettre à l'enfant des copies d'un labyrinthe du type Porteus ou encore de ceux que l'on trouve dans la section non verbale du *Wisc*.

— Il faudra faire preuve de suite dans les idées pour solutionner rapidement les problèmes. Présenter à l'enfant des séries de photos comme celles que l'on trouve dans les boîtes du *Peabody* ; discuter et interpréter les événements dans l'ordre de présentation des événements.

— Discuter de la relation cause à effet, par exemple, les nuages qui font la pluie. (Fig. 5.8)

Fig. 5.8

— Montrer l'allongement de l'élastique auquel on suspend diffé- rents poids. Mesurer la longueur de l'allongement.

— Faire observer que plus l'élastique s'allonge, plus il devient fin et mince.

— Montrer que certains corps s'allongent et qu'ils ont différents degrés d'élasticité ; par exemple, de la réglisse, de la plasticine, des cordes élastiques comme celles que l'on utilise pour les porte-bagages des automobiles.

— Un fil de fer (ou un fil de nylon), comme celui dont on se sert pour les cannes à pêche, qui s'allonge et s'étire vers le bas lorsqu'il est tiré par un poids. (Fig. 5.9)

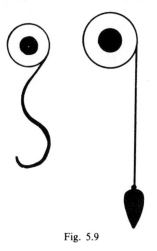

Fig. 5.9

Matière et modifications physiques

Les êtres vivants comme les choses changent de grandeur, de grosseur, de formes selon le temps, la nourriture, la chaleur, etc. Le vent ou même le souffle déplace le sable et en varie la forme. L'eau rouille le fer, dilue le sucre, mais non la farine et l'huile.

— L'eau peut geler (glace ou glaçons), se transformer en vapeur, en pluie, etc. La chaleur fait fondre la glace, sécher le linge, cuit la nourriture, change les couleurs, brûle le papier et le bois, etc.

— Noter les différentes formes et quantité de chaleur selon la source ; l'allumette, le gaz, l'électricité, le soleil, etc. Les plantes poussent, forment des racines, des tiges, des fleurs, etc.

Le temps

On ne peut ni voir, ni toucher, ni dessiner le temps, et pourtant c'est une chose qui fait partie intégrante de notre vie. Les horloges sont des instruments qui servent à mesurer le temps ; elles nous permettent de planifier notre journée ; par exemple, nous nous couchons à une certaine heure et nous nous réveillons à une certaine autre heure ; nous déjeunons, dînons et soupons, arrivons et partons de l'école à des heures précises.

Parfois le temps prend une importance particulière dans notre vie. Lorsque nous achetons des billets pour aller au cirque, ceux-ci nous indiquent le jour et l'heure de la représentation; il y a aussi les rendez-vous chez le médecin, chez le dentiste, etc.

Les moyens de transport prennent un temps déterminé pour se rendre d'un endroit à l'autre. Les programmes de télévision se regardent à heure fixe.

— Montrer les différents types d'horloges: celles de nos grands-mères, les horloges électriques, les réveils.

— Désigner les aiguilles; l'enfant marque la position des aiguilles sur l'horloge avec ses bras et son corps en se tenant debout devant une horloge fictive.

— Faire fonctionner un sablier.
Se référer au *Continental Press: Time*, qui offre une série de stencils spécifiques sur le thème des horloges et du temps.

Structuration du temps

Le temps est une succession d'événements. Une semaine est un tout composé de sept événements (jours), les mois forment un ensemble composé de quatre événements (semaines), et dans une année il y a douze événements (mois) ou 52 semaines ou encore 365 jours. Cette succession d'événements est très rigoureuse. Apprendre à l'enfant que lundi suit dimanche, précède mardi et non pas jeudi ou n'importe quel autre jour.

— Utiliser les cartes de séquences du D. L. M. ou en confectionner à partir d'une histoire publiée dans les journaux ou d'une bande dessinée. Commencer avec des séquences simples d'environ trois images, c'est-à-dire le début, le milieu et la fin de l'histoire.
Fernand Séguin dans *Chemins de la science*, chapitre sur le temps, présente une série d'expériences pratiques relatives à ce sujet.

— Montrer une série de photos illustrant divers sentiments se déroulant dans le temps: la joie, la douleur, la tristesse, etc. On peut aussi se servir d'une série d'objets ou interpréter une courte saynète: un enfant tombe à l'eau, se mouille, etc. Plus tard, interpréter des histoires de plus en plus détaillées. (Fig. 5.10)

— Expliquer l'organisation de la semaine: cinq jours d'école et deux jours de repos. En ce qui concerne les jours d'école, le lundi est le premier et le vendredi le dernier, le mercredi est le milieu de la semaine. Écrire le nom de chaque jour de la semaine et afficher cette liste de façon bien visible pour l'enfant.

Fig. 5.10

— Un mois se compose d'une série de jours. Il existe des séries de 28, 30 et 31 jours.

— Faire chaque mois un grand calendrier sur lequel figurent tous les jours ; on illustre de façon particulière les journées spéciales du mois. Il y a les journées spéciales pour tous les enfants (Noël) et les journées spéciales pour un seul enfant, par exemple son anniversaire.

— Faire tous les mois un petit calendrier personnel pour chacun des enfants, y inscrire l'anniversaire de leur frère, de leur sœur, de maman, de papa, de grand-maman, de grand-papa ou de toute autre personne importante dans la vie de l'enfant ; y mentionner les absences de l'école, les rendez-vous chez le médecin, chez le dentiste, etc.

— Chaque mois utiliser une fête comme thème ou centre d'intérêts.

— Noter sur le calendrier les variations de température, le rythme des saisons, et le changement de vêtements selon les saisons.

— Il est important de faire remarquer aux enfants qu'avec l'âge et le temps, ils doivent changer leurs vêtements devenus trop petits, etc.
Les chenilles deviennent des papillons, les graines, des plantes, etc. Utiliser le jeu *Nature's Window* (vendu dans les grands magasins).

Matériel : une boîte vitrée (pour permettre l'observation) contenant du sable et des fourmis.

Montrer aux enfants le temps que prennent les fourmis pour se frayer un chemin dans le sable.

— Faire beaucoup d'expériences avec toutes sortes de graines. On peut les placer dans un plat rempli de petits cailloux ou d'eau.

— Placer des graines dans un récipient, les recouvrir de mousse ou d'ouate, le lendemain ou quelques jours plus tard apparaîtra le premier germe.
Attirer l'attention sur le rôle du soleil qui réchauffe, et sans lui les plantes jaunissent et meurent.

L'horloge

Demander aux enfants de faire la différence entre la grande et la petite aiguille de l'horloge, puis entre les deux côtés de l'horloge, le droit et le gauche : à droite les numéros de 1 à 6, à gauche ceux de 7 à 12. Montrer ensuite que l'horloge se divise aussi en quarts. Manipuler ainsi de toutes les façons possibles.

— Sur une horloge de carton ou de bois, comme il en existe beaucoup sur le marché, faire lire les heures à l'enfant (l'aiguille des minutes toujours sur le 12).
Enchaîner avec la lecture des demi-heures puis des quarts d'heure. Situer des activités spécifiques à chacun des moments de la journée : l'enfant se lève à telle heure, il dîne à telle heure, etc.

— Manipuler l'aiguille des minutes à l'intérieur d'une heure, d'une demi-heure, d'un quart d'heure, etc.

— Lorsque la notion de minute est bien comprise, montrer que l'on peut indiquer les minutes après et avant l'heure.

— Reprendre les exercices en utilisant les deux aiguilles. Organiser des discussions sur les angles tracés par la position des aiguilles.

Le calendrier et emploi du temps

— Passer ensuite à l'étude des heures de la journée : 24 heures, 12 heures avant midi, 12 heures après (de midi à minuit). Puis aux jours de la semaine (travailler les notions de : hier, avant-hier, demain, après-demain), et enfin aux mois de l'année.

— Illustrer sur un tableau les mots : seconde, minute, heure, journée, semaine, mois, année.

— Tous les jours, demander aux enfants de situer bien précisément la date, le jour, le mois, la semaine dans le mois, le mois dans l'année, l'année, etc.

— Faire un calendrier (ou emploi du temps) hebdomadaire, pour chaque enfant, sur lequel on indique le temps réservé à chaque activité : le temps que l'enfant prend pour sa toilette, son déjeuner, venir à l'école, le temps consacré à la classe elle-même, à regarder la télévision, etc.
Faire remarquer que certaines activités commencent à une heure précise : l'école, l'émission de télévision, le passage de l'autobus, etc.

— Aux enfants plus âgés, expliquer l'origine de notre système de division du temps (différentes positions du soleil, etc).

— Étudier la notion de temps sur le plan du vocabulaire : aujourd'hui, hier, l'après-midi, tôt, tard, etc.

— Nous recommandons l'utilisation du livre *Comment enseigner les sciences à l'élémentaire*, de Selberg, Neal et Vessel, ou *les Chemins de la science*, de Fernand Séguin, Éditions du Renouveau pédagogique.

Mécanisme de base

L'enseignement des mathématiques diffère quelque peu de l'enseignement des autres matières et demande une méthodologie bien structurée et systématisée. Certains enfants faute d'expérience, de motivation ou présentant des problèmes d'organisation et de structuration perceptive nécessitent une attention spéciale.

Différant de la lecture, les mathématiques impliquent le mouvement, les déplacements, la réversibilité, le sens quantitatif, etc. Deux plus trois peut sembler très statique à l'enfant. Il devra découvrir qu'il s'agit de tout un processus où le résultat final sera plus grand (ou plus petit dans le cas de la soustraction/division) que les données initiales. De plus, il doit aussi agir selon la notion de conservation et accepter qu'il n'y a aucune destruction de l'objet dans le processus mathématique : par exemple qu'il n'y a pas plus de cerises que de bananes dans le problème suivant 7 cerises plus 3 bananes, qui présente un problème de classe et non de simple addition.

Une méthode telle que celle de Cuisenaire (ou celle de Dienes ou de Montessori) est recommandée pour un enfant qui se fie à la représentation perceptuelle, mais ne suffit pas pour l'enfant qui a des troubles spécifiques d'apprentissage des mécanismes de la mathématique. Toutes les méthodes d'enseignement des mathématiques modernes doivent alors être envisagées.

Addition

Il est important que l'enfant connaisse le symbole qui indique l'addition ainsi que le vocabulaire qui entoure cette opération : plus, ajouter, additionner, augmenter, grossir, etc. Le terme « égal » est associé avec la somme, avec la réponse et n'a pas rapport à l'égalité au sens de l'identité mais au sens d'équilibration.

Introduire l'étude de l'addition simple, avec les chiffres. On peut se servir d'épingles à linge, de boutons, de bonbons, etc. Faire faire des déplacements mathématiques.

— On peut additionner un carré et deux carrés, et obtenir trois carrés ; une pomme et deux pommes et obtenir trois pommes, etc.
Faire plusieurs exercices avec ces nombres simples.

— Faire comprendre la réversibilité et la compensation de l'opération par manipulation d'objets (solides ou liquides).

— Pour augmenter la difficulté, présenter des additions en donnant la réponse et un seul des deux termes ; exemple : 1 plus ? = 3 ; ? plus 2 = 3.

— Démontrer que la réponse sera toujours plus grande que l'un et l'autre des éléments de l'addition.

— Augmenter les combinaisons et les difficultés en vous inspirant des nombreux livres d'exercices de mathématiques disponibles sur le marché.

— Préparer des séries d'exercices de chiffres à deux, trois, etc. intervalles.

Soustraction

— Expliquer concrètement à l'enfant le concept de soustraire, d'enlever, réduire, rendre plus petit, etc. Lui donner une série de bonbons, en enlever, lui demander d'en manger pour bien lui montrer qu'il en a moins sans que l'identité de l'objet initial soit elle-même menacée.
Se servir de cents ou de cubes, etc.
Étudier cette notion sur le plan du vocabulaire.

— Prendre une bouteille graduée et montrer qu'on peut ajouter de l'eau et en enlever.

— Jeu du magasin : demander à l'enfant d'acheter certaines choses qu'il devra emporter, enlever.

— Se servir de marches que l'on monte et que l'on descend ou utiliser une règle à calcul représentée par des chiffres 0 à 10 dessinés par terre ou sur un tapis. Reprendre, pour la soustraction, les mécanismes utilisés pour l'addition. Une fois de plus, utiliser les nombreux exercices qui figurent dans les cahiers et les livres appropriés.

— Faire vivre à l'enfant ces expériences avec son corps.

Multiplication

La multiplication est un concept assez difficile à comprendre lorsque l'enfant a saisi l'addition. On peut aussi montrer comment les choses se multiplient à partir d'exemples tirés de la nature. Dans ce sens, multiplier devient une façon plus rapide que l'addition.

L'enfant doit comprendre peu à peu que les nombres sont placés selon un certain ordre, c'est-à-dire selon une droite linéaire qu'on ne doit pas déranger parce qu'en changeant cette disposition on change la réponse.

— Lorsque l'enfant a des difficultés particulières à résoudre les problèmes, il est recommandé de revenir à l'ancienne méthode suivant laquelle on écrivait dans une phrase tous les éléments du problème. Par exemple: Jacques se rend au magasin et achète une livre de café à $1,00 la livre, et deux boîtes de céréales à $0,25 chacune. Combien a-t-il dépensé? Écrire toutes les opérations les unes après les autres sur le plan horizontal ou sur le plan vertical, selon les habitudes de l'enfant. Il existe de nombreux jeux sur la multiplication, et il est fortement recommandé de les utiliser.

Division

Pour introduire ce concept, montrer une pomme que l'on coupe en deux. Faire la même chose avec différents objets ou groupes d'objets que l'on divise en 3, 4, 5, etc. en se préoccupant de préciser que l'objet-initial ou le tout demeure toujours le même tout en le divisant.

— Sur un calendrier, montrer qu'une année se divise en mois, que les mois se divisent en semaines et les semaines en journées. Se servir de pintes, de verges, de pieds, de litres, de mètres, etc. La notion de division s'ouvre à la compréhension de la notion de fraction.

Les fractions

En premier, l'enfant doit comprendre les fractions et par la suite savoir utiliser les décimales.

— Illustrer le principe des fractions avec du papier (plier un carré, un rond, un triangle). Montrer que l'on peut l'utiliser en parties; prendre des ciseaux et y découper des figures. (Fig. 5.11)

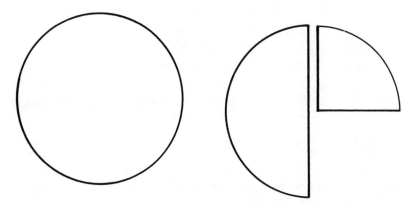

Fig. 5.11

— On peut aussi se servir d'une horloge pour expliquer les fractions.

Il existe des jeux, chez Fernand Nathan par exemple, qui facilitent la compréhension des fractions par une manipulation systématique de formes fractionnées.

Il est évident que chaque programme doit être adapté aux besoins individuels des enfants ou au niveau du groupe, mais il est important de se rappeler que les activités pratiques ainsi que les exercices sont indispensables pour développer chacun des mécanismes arithmétiques de base.

L'enfant devra avoir devant lui un tableau présentant les chiffres de 1 à 100, placés par rangées de 10, verticalement, c'est-à-dire que la première ligne du haut se lira : 1, 11, 21, 31, 41, 51, 61, 71, 81, 91, et la dernière du bas : 10, 20, 30, 40, 50, 60, 70, 80, 90, 100.

— Faire manipuler les ensembles de 5 et de 10, compter par 10, par 100, par 2, par 1, additionner, soustraire, multiplier et enfin diviser.

Il est important d'initier à la valeur de l'argent : 5, 10 et 25 cents. Faire les exercices suggérés dans différents manuels.

Raisonnement mathématique

Commencer avec les activités journalières qui exigent un raisonnement mathématique. Combien de minutes faut-il pour se rendre à l'école ? Combien de minutes pour faire cuire un œuf ? etc. C'est de l'expérimentation, une solution pratique des problèmes.

Introduire d'autres questions pratiques comme aller au magasin, lire les annonces dans le journal, établir un budget.

— Faire calculer le coût d'un travail en fixant un taux horaire de salaire et le nombre d'heures nécessaires.

— Expliquer le système de la taxe de vente.

— Pour les enfants plus âgés qui n'ont pas de difficultés à assimiler les notions précédentes, expliquer le fonctionnement du système bancaire, les chèques, leur utilité, etc.

Facteurs communs

Faire comprendre à l'enfant qu'il s'agit d'éléments d'un ensemble ou d'un tout qui soit propre à un groupe. C'est une qualité qui est propre à plusieurs objets ou groupe. Le tout est ultimement lié à la notion de classe.

— Demander aux enfants de trouver « un facteur » qui soit commun à tous les enfants par exemple des parents, des yeux, etc, des livres, de manger et de dormir, etc.

— Demander des facteurs non communs par exemple la grandeur, les goûts et intérêts, le nombre de frère et sœur, la couleur des yeux, etc.

L'ensemble du programme doit suivre le développement des habiletés selon des étapes précises et progressives. À partir des habiletés fondamentales qui s'acquièrent par l'observation, nous passons aux habiletés simples de classification, sériation, notion d'espace et de temps, de mesure, d'inférence et de prédiction, et enfin à l'initiation aux mathématiques.

Lorsque cela est possible, nous pouvons nous intéresser aux habiletés plus complexes de définitions opérationnelles, contrôle des variables, formulation d'hypothèses, interprétation des résultats et création de modèles.

VOCABULAIRE MATHÉMATIQUE

à côté	coût	enlever de	long
addition	creux	énorme	longueur
ajouter	dans	en retard	lourd
à partir de	de	ensemble	l'un et l'autre
après	demi	entier	meilleur
arrêt	de moins en moins	entre	mi-chemin
arrière	dernier	étroit	mieux
assez	derrière	exact	moindre
aucun	des	fermer	moins
auprès de	dessous	fin	moitié
autour	dessus	final	montant
avant	deux	finesse	multiplier
bande	deux fois	fois	nil
bas	deuxième	fond	nombre
beaucoup	devant	foule	non
bien	différence	gauche	nouveau
central	diminuer	grand	ôter de
centre	diviser	grandeur	paire(s)
chacun	dos	gros	par derrière
change	droit	grosseur	par-dessus
chaque	droite	groupe	pareil
chemin	du	haut	part
cime	dualité	heure	partie
clos	échec	jeune	pas
coin	égal	jumeaux	pesant
colonne	élevé	jumelle	petit
comparer	en avant	juste	peu
correct	en bas	large	peut être
côté	encore	largeur	peut-être
couple	en-dessous	lent	plein
courbe	enfin	loin	plus
court	en haut	loin de	plus bas
plusieurs	quelque chose	sommet	troupe
plus petit	quotient	sou (cent)	troupeau
plus que	rare	sous	un
premier	réduire	soustraction	unique
près	rempli	soustraire	unité
presque	réponse	sur	vente
prochain	reste	tant	vérifier
produit	rien	temps	vide
profond	sans	tien (le)	vieux
programmer	semblable	toujours	vis-à-vis
progressif	seulement	tout	vos
quand	simple	très	vraie
quelque(s)	somme	trop	

**Termes à enseigner aux enfants d'âge préscolaire
pour l'apprentissage des notions suivantes
(et du concept de relation: similitude ou opposition [contraire])**

Notions spatiales

À droite — à gauche   Gauche — droite
Au centre — autour   Entre — au milieu
Avant — après   Au début — à la fin
Contre — à côté
Dedans — dehors   En dedans — en dehors
Dessus — dessous   Au-dessus — au-dessous
Le dessus — le dessous   En dessous de
Devant — derrière   En avant — en arrière
En haut — en bas   Plus haut — plus bas
Premier — dernier
Près — loin   Proche — rapproché
Sur — sous   Le fond de

Notions de temps (durée)

Âge — anniversaire   Date de naissance — jour de fête
À temps — en retard   Être à l'heure — être en retard
Aujourd'hui   Hier — demain
Avant — après   Tôt — tard
Début — fin   Tantôt — bientôt
Heure (du lever, du coucher,
   des repas)
Hiver — été   Printemps — automne
Matin — après-midi   Midi — minuit
Matin — soir   Nuit et jour
Nuit — jour   Suivant — le suivant
La semaine prochaine   Prochain — retard

Notions de dimension

Épais — mince   Large — étroit
Grand — petit   Plus grand — plus petit
Gros — petit (mince)   Le plus gros — le moins petit
Haut — bas   Plus haut — plus bas
Long — court   Plus long — plus court

Notions de quantité et de contenu

Beaucoup — peu   Beaucoup de — peu de
Cuillerée — bouchée   Cuillère à café — cuillère à thé
Moitié — demi   La moitié de
Paire — unité

Plein — vide
Pleine boîte (une)
Pleine bouteille (une)

Avoir les mains pleines
Plein verre (un)
Pleine tasse (une)
Plus de — moins de

Plus — moins
Tout — partie

Moins que — plus que
Plusieurs — chaque

Exercice :

Compter des objets jusqu'à 5
Compréhension de 1 à 5 cents
Notion de groupe
Faire des additions et des soustractions (toujours sans dépasser le nombre 5).
Ex. : additionner 2 et 2 et soustraire 2 de 4 (3 + 1 — 3 - 2), etc.

Notions relatives à la forme

Cercle — triangle
Courbe — droit
Haut — bas
Long — court

Rectangle — rectangulaire
Épais — mince
Rond — carré
Large — étroit

Notions de comparaison

Moins de — plus de
Plus grand — plus petit
Plus haut — plus bas
Plus lent — plus vite

Moins que — plus que
Le plus vite — le moins lent
Moins vite — moins lentement
Moins rapidement

Notions diverses (qualité, etc.)

Chaud — froid
Réchauffé — refroidi
Ouvert — fermé
Rapide — lent

Allumé — éteint

Lourd — léger
Vite — lentement

DÉFINITIONS DE TERMES

Association – Capacité mentale de découvrir et d'utiliser les rapports et analogies qui existent entre les objets (grandeur, grosseur, couleur, etc.).

Classification – Opération qui consiste à répartir les objets en classes hiérarchisées (espèces, genres, familles, ordres, etc.).

Concept de base – Le cerveau reçoit l'image par l'intermédiaire des sens. Au niveau de l'intégration, il arrive à faire abstraction et à voir l'image comme un tout qu'il symbolise, puis généralise en un concept. (Symbole = signe conventionnel ; concept = image mentale, c'est-à-dire idée, pensée, notion...)

Dimension – Quantité qui, seule ou avec d'autres, sert à déterminer soit la position sur une surface ou dans l'espace, soit la grandeur mesurable d'une figure (longueur, surface, volume, etc.).

Dyscalculie – Impossibilité d'effectuer des opérations mathématiques ; elle peut être de type spatial, ce qui implique un trouble d'organisation spatiale ou une incapacité de capter le sens (alexie) des nombres et des chiffres (incapacité souvent associée à des troubles de langage).

Énergie – Pouvoir que possède un corps ou un système de corps de produire du travail mécanique.

Forme – Structure sensible ou rationnelle des choses, ou encore, au sens de la perception, configuration visuelle ou sonore.

Mécanismes mathématiques – Habileté à se servir du nombre pour additionner (l'addition donne la somme, soit une classe qui comprend à la fois les éléments de la première et de la deuxième classes), pour soustraire (la soustraction donne la différence, soit une classe qui comprend une réduction à la fois des éléments de la première et de la deuxième classes), pour multiplier (la multiplication donne un produit, soit une classe augmentée par l'action à la fois des éléments de la première et de la deuxième classes combinés et reproduits), pour diviser (la division donne un quotient, soit une classe diminuée par l'action à la fois des éléments de la première et de la deuxième classes combinés et diminués). Ce sont des opérations logiques.

Nombre – Quantité qui est mesurée par l'unité qui est faite d'éléments de même nature ou de parties homogènes séparées.

Raisonnement – Fonction discursive de la pensée, consistant à établir qu'une ou plusieurs propositions en impliquent une autre à titre de conséquence. C'est une opération qui vise à découvrir une chose qu'on ignore en procédant soit par analogie, soit par exemples, soit par substitution de termes, soit par liaison de termes.

Temps – Possibilité de mesurer les séquences de déroulement d'un événement (l'avant, le pendant et l'après). C'est un aspect de l'expérience vécue à partir de la durée d'une sensation, ou l'expérience du changement d'un événement sensoriel — idée ou pensée — dans le passé, le présent et l'avenir.

SUGGESTIONS DE MATÉRIEL ET DE JEUX

Balance

Bâtonnets

Bobines de fil vides

Boîtes et billes

Boulier

Bouteilles et tasses à mesurer

Capsules de bouteilles (de Seven Up, etc.) — pour épreuves du type des coquetiers — avec cents.

Cartes
    à jouer
    d'association
    de nombres
    de relations spatiales

Cartons vides
    de douzaine d'œufs
    de lait

Chèques, reçus, fiches de dépôt (banque), etc.

Chiffres (romains et arabes)

Classification (un seul objet de différentes grandeurs)

Collection de cailloux, coquillages, etc.

Collection de monnaies et de timbres de différents pays.

Corde ou ficelle pour faire des ensembles, etc.

Costumes représentant les chiffres de 0 à 10, +, -, =, ⟩ , ⟨ , ×, ÷

Cubes

« Cubeduc »

Échelles variées (pour compter les marches, etc.)

Épreuves de Piaget

Épreuves de pliage

Exercices et expériences scientifiques simples
     (ex. : « Chemins de la science », de F. Séguin)

Feuilles du *Continental Press*

Feuilles Frostig

Figures de formes diverses (en 2 et en 3 dimensions)

Horloge, montre, sablier

Jeux de
     assemblage
     bureau de poste
     dominos
     échecs (simples)
     l'épicier
     mécano (notion de marche avant, arrière, arrêt, etc.)
     « pegboard » (planche avec trous)

La Ronde des nombres (Lidec)

Livres de découpage, à colorier, etc.

Loto-calcul

Matériel
     Montessori
     pour mesurer : rubans, cordes, ficelles, bâtonnets, règles (en pouces, en centimètres), verge, mètre, balance, tasse, thermomètre, etc.
     pour notions de substance, poids, volume

Miroir

Papier à plier

Pêche aux chiffres

Pièces de : 1, 5, 10, 25 cents

Plasticine

Problèmes à solution réversible

Problèmes à solution irréversible

Puzzle (casse-tête) de nombres (peut être fabriqué)

Règle à calcul simple [à base 10] (peut être dessinée sur le plancher)

Sériation

Système métrique (jeu pour initiation au)

Tiges pliantes (genre cure-pipes)

BIBLIOGRAPHIE

A. En français

AJURIAGUERRA, J. de et TISSOT, R. « Psychologie et épistémologie génétique, Thèmes Piogetiers », Dunod, 1966.

ADLER, I., *Nombres et figures.*

BANG, V., *l'Épistémologie de l'espace.*

BARBET, J. et G. MIALARET, *les Débuts du calcul*, Paris, Colin-Bourrelier, 1962.

BARBUT, M., *Mathématique des sciences humaines : nombres et mesures*, Paris, PUF, 1967-1968.

BEAUVERD, B., *Avant le calcul*, Neuchâtel, Delachaux et Niestlé, 1967.

BIDAULT, J., *Trucs et ficelles*, Paris, Centurion.

BOEKHOLT, A., *Coupez, pliez, collez*, Paris, Centurion.

BROUILLARD, A. et A. BERNARD, *l'Univers des nombres*, Montréal, Holt, Rinehart & Winston, 1968.

CAILLE, A., *Comment enseigner les sciences à l'élémentaire*, Montréal, Éditions du Renouveau pédagogique, 1971.

COLLETTE, J.-P. et L. LALIBERTÉ, *la Mathématique à l'élémentaire.*

CUISENAIRE, E. et C. GATTEGNO, *Initiations aux nombres en couleurs*, Neuchâtel, Delachaux et Niestlé, 1969.

DIENES, Z. P., *Comprendre la mathématique*, Paris, O.C.D.L., 1965.

DIENES et GOLDING, *Groupes et coordonnées*, Paris, O.C.D.L.

——————, *Ensembles, nombres et puissances*, Montréal, Éducation nouvelle.

DUPONT, E., *Apprentissage mathématique*, Paris, S.U.D.E.L., 1967.

EICHOLZ, MARTIN, BRUMFIELD, O'DAFFER, SHANKS, *Éléments de mathématiques modernes*, traduction et adaptation de G. Roy, Montréal, Éditions du Renouveau pédagogique, 1967-1968 (4 volumes élèves-maîtres).

ÉQUIPE ISP, *Initiation aux sciences.*

——————, *À la découverte des mathématiques.*

FERGUSON, Réjane, *Avant la mathématique*, Montréal, Lidec.

FLETCHER, T. J., *l'Apprentissage de la mathématique aujourd'hui*, Paris, O.C.D.L.

GATTEGNO, C., *l'Enseignement des mathématiques avec les nombres en couleurs*, Neuchâtel, Delachaux et Niestlé (plusieurs manuels), 1957.

GOUTARD, M., *les Mathématiques et les enfants*, Neuchâtel, Delachaux et Niestlé, 1963.

INHELDER, BARBEL et PIAGET, *De la logique de l'enfant à la logique de l'adolescent*, Paris, PUF, 1955.

INSTITUT DE RECHERCHES PSYCHOLOGIQUES, *À la découverte des mathématiques modernes.*

JAULIN-MANNONI, F., *la Rééducation du raisonnement mathématique*, Paris, Éditions sociales françaises (E. S. F.), 1965.

——————, *les Quatre Opérations de base des mathématiques*, Paris, E. S. F., 1965.

——————, Rééducation pratique du calcul, Paris, E. S. F., 1966.

JOHANNOT, L., *Recherches sur le raisonnement mathématique de l'adolescent*, Neuchâtel, Delachaux et Niestlé, 1947.

LAURENDEAU, M. et PINARD, A. « La pensée causale » Paris, Puf. 1962.

MIALARET, G., *l'Enseignement des mathématiques*, Paris, PUF, 1964.

——————, l'Apprentissage des mathématiques, Paris, Dessart, 1973.

McGRAW-HILL, *Programme de sciences à l'élémentaire*, Montréal, McGraw-Hill.

MORF, A., *l'Apprentissage des structures logiques*, Paris, PUF, 1959.

MULLER, L., *Recherches sur la compréhension des règles algébriques chez l'enfant*, Neuchâtel, Delachaux et Niestlé, 1956.

NASSEFAT, M., *Étude quantitative sur l'évolution des opérations intellectuelles*, Neuchâtel, Delachaux et Niestlé, 1956.

NEAL, SELBERG et VESSELL, *Comment enseigner les sciences à l'élémentaire*, Montréal, Éditions du Renouveau pédagogique.

PIAGET, J., *le Développement de la notion de temps chez l'enfant*, Paris, PUF, 1946.

—————, *l'Enseignement des mathématiques*, Paris et Neuchâtel, Delachaux et Niestlé, 1960.

PIAGET, J. et B. INHELDER, *le Développement des quantités physiques chez l'enfant* (1963); *la Construction du réel chez l'enfant* (1963); *la Genèse du nombre chez l'enfant* (1964); *la Formation du symbole chez l'enfant* (1964), Neuchâtel, Delachaux et Niestlé. (Série d'ouvrages.)

—————, *la Genèse des structures logiques élémentaires*, Neuchâtel, Delachaux et Niestlé, 1959.

—————, *l'Apprentissage des mathématiques*, Paris, Dessart, 1973.

PICARD, N., *À la conquête du nombre*, Paris, O.C.D.L.

—————, *Des ensembles à la découverte du nombre*, Paris, O.C.D.L.

PODENDORF, C., *les Sciences en 101 expériences*, Paris, R.S.T., 1961.

SÉGUIN, F., *les Chemins de la science*, Montréal, Éditions du Renouveau pédagogique, 1969. (4 volumes élèves-maîtres.)

VANDENDRIESSCHE, L., *les Mathématiques modernes à l'école primaire*, Neuchâtel, Delachaux et Niestlé.

VELLE, R., *Difficultés scolaires*, Paris, E.S.F., 1969.

B. En anglais

CRONBACK, L., *Intellectual Development as Transfer of Learning*, New York, Harcourt, Brace & World, 1954.

DOWNES, L. W., *The teaching of Mathematics in Primary Schools*, Londres, Oxford University Press, 1958.

FURTHER, H.G. et WACHS, H., « Thinking goes to school », New York, Oxford Un. Press, 1974.

GATTEGNO, C., *For the Teaching of Elementary Mathematics*, 1963.

HOROWITZ, R., *Teaching Mathematics to Students with Learning Disabilities*, Montréal, Quebec Association for Children with Learning Disabilities.

LEVI, A., « Treatment of a Disorder of Perception and Concept Formation in School Failure », *Jr. Consulting Psyc.*, 1965, vol. 29, no 4.

LOVELL, K., *The Growth of Basic Mathematical Concepts in Children*, Londres, University of London Press, 1961.

STERN, C. et T. GOULD, *Structural Arithmetic*, Boston, Houghton-Mifflin, 1965.

TRIVETT, J. W., *Mathematical Awareness*, 1962.

CHAPITRE 6

DÉVELOPPEMENT DU LANGAGE

Il est nécessaire d'aborder le langage non pas comme un ensemble de mots, mais comme un tout permettant l'expression orale ou écrite de sa propre pensée, la forme ultime de la communication. Le développement du langage s'apparente au développement symbolique par lequel la communication des pensées, des émotions et des désirs s'effectue à l'aide des signes linguistiques, gestuels ou verbaux. Compte tenu de tout cela, les enfants présentant un trouble du langage devront être examinés pour établir les causes de ce déficit : surdité, troubles émotionnels, retard mental, aphasie réceptive, etc.

Afin que le langage puisse accomplir son rôle spécifique et que le processus fonctionne adéquatement, il est nécessaire de mettre en route un cycle de développement communicatif. Par la compréhension et l'usage de symboles, l'individu est capable (en présumant que la transmission neurale est bien opérationnelle) de transmettre ceux-ci au cerveau. Ce développement neuro-moteur permet de sélectionner un trajet moteur exclusif.

La réponse appropriée suivra avec la bonne utilisation de la respiration, de la phonétique, de la résonance et de l'articulation. Les réponses sont influencées par de multiples facteurs tels que la personnalité, la santé physique et mentale, etc., et ne doivent pas être sous-estimés.

On ne peut réussir à lire ou à parler que si, au sens technique du terme, on ne fait pas abstraction du mot ou de la phrase. Parler est un phénomène naturel qui doit avoir pour but la communication entre les êtres. Depuis trop longtemps, on encourage l'expression écrite au détriment de l'expression orale. En classe, « on garde le silence » ; « on se tait ».

L'enfant n'apprendra à parler que dans la mesure où ses intérêts profonds sont éveillés. C'est un fait important dans le développement mental et moral de l'enfant. Dans un programme de développement du langage, les notions de grammaire ne doivent venir que beaucoup plus tard, puisqu'elles n'ont aucun rapport avec l'acquisition du langage même. Au début, l'enfant doit comprendre et se faire comprendre sans toutefois être conscient du fait qu'il est placé dans une situation d'apprentissage. En lui permettant de jouer avec les mots comme il l'entend, petit à petit, avec la maturité intellectuelle, il élargit ses possibilités d'élocution ; il affine la composition de ses phrases et il exprime mieux ses idées. Si l'éducation se pose quelques questions, il se doit de demander à prime abord une investigation orthophonique ou audiologique.

Apprendre à écouter

Pour apprendre les mots, pour échanger des idées, l'enfant doit savoir écouter, se concentrer et comprendre l'univers dans lequel il vit.

Les fondements du savoir écouter se trouvent dans la capacité d'attention. L'attention n'implique pas automatiquement la concentration cependant pour se concentrer il faut être capable d'attention.

Si on aborde l'attention dans le sens du développement, on sait alors que celle-ci se développe au long de trois étapes très distinctes. Durant la première étape on retrouve l'enfant à des degrés progressivement différents, de zéro à six ans environ, se centrant plutôt sur un objet à la fois et on parlera alors d'attention exclusive. Durant la deuxième phase de développement qui s'échelonne de 6 ans à 9-10 ans, on parlera d'attention inclusive. L'enfant est maintenant capable de ce que Piaget nommera « décentration » et apporte son attention à plusieurs aspects du stimuli et son intérêt se manifeste à différents niveaux. Durant la dernière période qui débute vers 10-11 ans, l'attention sera dite sélective. L'enfant est maintenant capable d'amener son attention à concentrer sur plusieurs sinon tous les aspects d'un stimuli ou problème complexe. Il est aussi capable de se concentrer en niant ou refusant le milieu ambiant ou encore sa vie physiologique et psychique.

Plusieurs fois par jour, on procédera à de courtes périodes de relaxation.

> L'enfant, les yeux fermés, pose la tête sur le pupitre ou la table. Éteindre les lumières, faire respirer les enfants, calmement et régulièrement. Durant cette période, le professeur sélectionne un bruit de l'extérieur qui fait partie de l'environnement auditif habituel de l'enfant. Il en discute, l'identifie et amène l'enfant à une prise de conscience particulière en état de relaxation. (Fig. 6.1)
>
> À voix basse, on persuade l'enfant que le bruit entendu ne le dérange pas. Répéter cette suggestion deux fois au cours de la

Fig. 6.1

période de relaxation. Chaque jour, écouter un nouveau bruit du milieu. Le but de cet exercice est de faire accepter les bruits, tout étranges qu'ils puissent être, comme faisant partie de la réalité quotidienne.

Pour les exercices de langage, chaque enfant doit pouvoir prendre la position qu'il préfère, même se coucher par terre s'il le désire. La classe devrait être aménagée de façon à répondre aux besoins de relaxation individuels.

Ne pas permettre à l'enfant de parler des bruits déjà étudiés.

Le professeur commence par faire écouter les bruits les plus forts pour en arriver progressivement aux bruits les plus faibles et finit par persuader l'enfant qu'il n'entend plus rien.

Lorsque l'enfant est capable de rester dans une position de relaxation pendant environ 30 secondes et que le professeur n'attire plus l'attention sur aucun bruit depuis environ une semaine, à voix très basse, appelez un enfant et lui demander de venir à l'avant de la classe, puis de retourner à sa place. Au début, ce déplacement dérangera les autres enfants, et il faudra peut-être leur rappeler à plusieurs reprises qu'ils sont en période de relaxation et ne doivent pas se laisser distraire. Plus les enfants sont capables de contrôler leur attention, plus le professeur peut varier cet exercice.

Le ton du professeur doit rester le même. Lorsque l'enfant est parvenu à un bon contrôle de lui-même et qu'il est capable de rester complètement immobile, introduire différents bruits de fond (agiter des cloches, frapper sur des boîtes, etc.). L'enfant ne doit pas bouger ; ce n'est qu'à la fin de la séance de relaxation qu'on lui demandera d'identifier le bruit qu'il a entendu.

Jeu du détective

— Cacher un objet ; plus l'enfant s'approche de l'endroit où se trouve l'objet, plus on fait de bruit. Pour cela, frapper des objets de métal les uns contre les autres.

— Pour se souvenir (mémoriser), il faut savoir écouter. Raconter une histoire à l'enfant, puis lui poser des questions sur la narration. Pendant une semaine, raconter la même histoire en ajoutant chaque jour des éléments nouveaux. L'enfant doit se souvenir de la première version de l'histoire ainsi que de tous les autres épisodes rajoutés. Au bout de quelques semaines, demander de raconter l'histoire entendue quatre semaines auparavant. Assurez-vous que tous les détails y sont. Numéroter les histoires car les enfants ont souvent beaucoup de difficultés à situer le passé.

— Ne bouger que lorsqu'on entend un bruit très fort.

— Exercice inverse ; bouger, et ne s'arrêter que lorsqu'on entend un bruit faible.

— Varier l'amplitude et la durée des bruits.

— Lire un texte pendant la période de relaxation. Le lendemain, en conversation libre, discuter du contenu du texte.
Au début, ce texte doit présenter très peu d'action, puis introduire progressivement de l'action et même des sentiments d'agressivité.

Expression libre

Chaque objet, activité, etc. est associé de différentes façons à des mots ou à des types de mots. Il est important que l'enfant puisse s'exprimer à sa façon avec les mots de son propre vocabulaire, sinon on risque de réduire ses possibilités d'expression. Afin d'élargir son vocabulaire, étudier des thèmes précis : moyens de transport, moyens d'apaiser la faim, moyens de communication, etc. Il est important dans ce genre de travail et pour les exercices qui suivent d'encourager la participation de tous les enfants. Une période d'environ 15 à 20 minutes d'expression libre devrait être prévue chaque jour, et si possible à la même heure.

Connaissance du langage

Il est évident que tout enfant peut comprendre la fonction du langage sans pour cela être déjà capable de s'exprimer verbalement. Avant même de pouvoir parler, l'enfant a déjà appris à communiquer.

Les enfants sourds-muets (on ne peut oublier de mentionner la célèbre Helen Keller qui, en plus, était aveugle) constituent l'exemple le plus extraordinaire de ce phénomène.

L'enfant doit comprendre que les formes de pensée ne sont pas toutes verbales, mais que la forme verbale constitue cependant une des façons les plus rapides de communiquer. Par l'apprentissage, résultant de l'*input* en provenance de son environnement, l'enfant apprend à jouer avec le langage, par les mots, par le ton, etc., et à adapter le tout à différentes situations.

Beaucoup d'autres facteurs influeront aussi sur l'*output* vocal (ou l'expression orale) tels que le tempérament individuel, les exigences du milieu socio-culturel dans lequel l'enfant vit, etc. Il sera donc nécessaire d'évaluer le développement du langage par rapport à son âge chronologique et selon des échelles standardisées tel que le Peabody.

La vocalisation comme telle est une réaction spontanée, observable dès la naissance. Cependant celle-ci peut prendre diverses formes, telles que le cri, lequel, petit à petit, se structure en babillement puis en gazouillement. La réponse de l'adulte à cet éveil vocal est très importante, et elle est souvent un élément négligé du premier âge de l'enfant.

Il est fortement recommandé à l'éducateur de prendre connaissance des composantes progressives de ces premières expressions de vocalisation, afin d'entreprendre des sessions de reprises systématiques de cette étape comprenant les cris, les pleurs, le babillement, le gazouillement et autres bruits relatifs aux premières manifestations de la vocalisation.

Ensuite, on entreprendra, dans l'ordre, des exercices sur la prononciation des voyelles : a, e, i, o, u, eu et ou, et des nasales : an, in, on et un ; puis sur la prononciation des consonnes par rapport à la région d'articulation : les labiales p, b, m ; labio-dentales f, v ; linguales antérieures t, d, n, s, z, l, c, ch, j, y ; et linguales postérieures k, g, gn.

De plus l'enfant doit prendre conscience de l'intensité de la voix (vibration des cordes vocales) dans la prononciation des consonnes muettes p, i, k, j, s, ch ; des consonnes sonores d, b, g, v, z, j ; l, v ou nasales m, n, l, y, gn. Placer un miroir devant la bouche de l'enfant.

La durée joue aussi un rôle important : les p, k, b, d, g sont instantanées tandis que les f, s, ch, v, z, j, l, m, n, r, y, gn sont continues. Certaines consonnes sont explosives : p, t, k, b, d, g, m, n, gn ; d'autres, sifflantes : f, s, ch, v, z, j, ou liquides : l, r.

Une fois que ces données sont bien assimilées, on procède à des jeux d'association consonnes/voyelles et voyelles/consonnes, simples d'abord, puis plus complexes, en formant des mots sans signification. Les épreuves de Borel-Maisonny sont des guides de progression utiles pour ces exercices.

Il sera toujours important de s'assurer que l'enfant comprend bien les consignes qui lui sont données, quelle que soit leurs difficultés. Exercer la mémoire de l'enfant ainsi que sa compréhension, et exiger que toutes les tâches soient accomplies dans l'ordre donné. La compréhension dépend du développement de la perception et des habiletés conceptuelles de l'enfant.

Avant qu'il soit capable de retenir le nom d'une chose, l'enfant doit passer du souvenir de l'image de l'objet nommé à la discrimination des séquences sonores du mot.

Articulation

Comme nous le mentionnions au début de ce chapitre, la prononciation varie d'une personne à l'autre. L'enfant doit donc avoir la possibilité de manipuler sensoriellement certains objets afin de pouvoir l'identifier phonétiquement lui-même. L'articulation est un aspect important dans les programmes de rééducation.

— Énumérer les différents organes phonateurs et expliquer les éléments qui entrent en jeu dans le processus de l'expression verbale. La bouche, les lèvres supérieure et inférieure, les joues, la langue, les dents, la glotte, le diaphragme, l'aspiration de l'air dans les poumons et l'expiration de cet air.

— Faire prendre conscience du mouvement de la bouche, en demandant à l'enfant de placer ses doigts sur ses lèvres (supérieure et inférieure), sur ses joues, sur son menton, sur ses dents (mâchoires supérieure et inférieure, en avant et en arrière). Sa langue possède une forme particulière ; elle est plus large au fond de la bouche et plus fine vers l'avant, et elle se meut différemment selon les lettres et les mots prononcés. Étudier ensuite le mouvement de la gorge et de la glotte. Comme pour la bouche, placer la main sur la gorge, sur l'abdomen. Inspirer, expirer, parler.

— Montrer comme il est facile de prononcer les voyelles a, e, i, o, u ; le mouvement des lèvres, de la langue, puis montrer les variations è, é.

Montrer comment prononcer p, b, m, f et v, en insistant sur le fait que ces lettres s'articulent surtout avec les lèvres.

Puis t, d, s, z, l, et n, en montrant le jeu de la langue sur les dents.

C'est l'ouverture de la bouche qui est importante dans la prononciation de l, r, j, k, g.

Eu et ou se prononcent les lèvres arrondies (comme un poisson), ch et gn les dents presque serrées.

— Faire remarquer les mouvements de la bouche, de la glotte et du diaphragme, dans diverses combinaisons phonétiques.

- al, ac, ar, as : ouverture de la bouche ;

- ic, if, is : mouvement du diaphragme ;

- oc, ol, or, uc, ul, ur, ec, er, es, ef : mouvement de la bouche et du diaphragme ;

- eul, eur, eus : bouche en poisson ;

- ouf, our, ous : mouvement de la bouche ;

- ll, ss, tt : mouvement d'expiration ;

- bl, cl, gl, br, pr, tr, vr : mouvement particulier de la langue et de la glotte ;

- ka, ga : mouvement du diaphragme et grande expiration.

Exercices avec les lèvres et la bouche

Exploration des lèvres (supérieure et inférieure) par le toucher. Leur forme, leur longueur, l'ouverture, leurs mouvements et celui des joues. En pinçant les lèvres et la peau de la mâchoire on s'aperçoit de la différence sensorielle entre elles.

— Faire différentes grimaces avec les lèvres et faire observer que la lèvre inférieure peut s'avancer plus loin que la lèvre supérieure. Former un genre de 0 avec les lèvres, jouer au poisson, étirer les lèvres en une sorte de grimace ou de rire. (Fig. 6.2) L'enfant doit pouvoir conserver un rictus pendant cinq à six secondes.

Fig. 6.2

— À l'intérieur de la bouche, aspirer ses joues de sorte qu'elles se creusent comme celles d'une personne très maigre.

— Sourire avec les lèvres.

— Expression de déception.

— Expression de mécontentement.

— Souffler de l'air par les lèvres tenues fermées.

— Exercice inverse, gonfler ses joues au maximum comme celles d'une personne très grosse.

— Avec une paille ou un tube de caoutchouc, aspirer des liquides de différentes densités ; intégrer les notions de froid, de tiède, de chaud et de goûts spécifiques (sucré, salé, celui du café, du thé, etc.).

— Exercice inverse (pousser ou souffler).
À l'aide d'une paille ou d'un tube de caoutchouc, souffler dans les liquides. Observer les différentes bulles selon les liquides.

— Souffler sur une chandelle.

— Souffler sur un miroir et faire observer les phénomènes (vapeur).

— Souffler sur une roue ou sur une balle suspendues.

— Souffler dans des instruments musicaux, tels que la flûte, l'harmonica, etc.

— Souffler sur du papier découpé en lamelles.

— Souffler sur du papier mince (oignon) ou métallique.

— Souffler sur une balle de ping-pong, sur une feuille de papier ordinaire.

— Souffler dans les cheveux de son compagnon, sur divers tissus, sur des cloches, etc.

— Souffler avec sa bouche, puis avec une paille.

— Souffler sur des mobiles ordinaires, puis de type chinois, qui émettent des sons musicaux.

— La bouche bien fermée, souffler par le nez sur un miroir. Noter si l'enfant éprouve de la difficulté.

— Même exercice en fermant une narine puis l'autre.

— Introduire, avec un tambour, des séquences rythmées de soufflage par le nez. Répondre avec la bouche.

— Faire des bulles de savon.

> *Matériel :* un verre d'eau savonneuse, un bâtonnet terminé par un anneau. Agiter l'eau avec le bâton, puis souffler faiblement dans le petit cercle pour faire des bulles.

La mâchoire

— Exploration des mouvements de la mâchoire (les os et les dents). La mâchoire peut exécuter des mouvements de rotation avec variations droite/gauche et ouverte/fermée. Faire mâcher deux aliments de consistances différentes, tels que pomme et pain (dur et mou). (Fig. 6.3)
Avec de la gomme à mâcher on varie les façons de mâcher et les points de pression.

Fig. 6.3

— Faire des exercices de la mâchoire. Demander d'imiter une tête de marionnette (mouvements de gauche à droite : plan horizontal, ouvrir et fermer : plan vertical).
— L'enfant doit apprendre à mastiquer à gauche et à droite, en avant, au fond, les lèvres ouvertes et les lèvres fermées.

Les dents

— Mordre avec les dents de devant, avec celles de côté, avec celles du fond. Pour cet exercice, employer des carottes, des morceaux de pomme, de la tire, de la guimauve, du pain noir, de la gomme à mâcher.
— Montrer que la force de mastication varie avec les aliments.
— Faire des ballons avec la gomme à mâcher.

Langue

Il est nécessaire de faire exécuter des exercices spécifiques avec la langue.
— Poser un petit pois sur la langue de l'enfant, qui doit le garder dans cette position le plus longtemps possible.
— Lécher une très grosse sucette ou un cornet de crème glacée.
— Faire des mouvements latéraux de la langue à l'intérieur et à l'extérieur de la bouche.
— Toucher un point sur la joue et demander à l'enfant d'atteindre avec la langue le point que l'on a touché.
— Essayer de toucher, avec la langue, le bout du nez et le menton, la joue gauche et la joue droite.

— Exercer la résistance de la langue : pousser certains objets avec sa langue, un bâtonnet, par exemple.

— Faire différents bruits avec la langue et la bouche : imiter le roulement, le galop du cheval, l'essoufflement, le sifflement, le cri ou les bruits que font certains animaux : la grenouille, le cochon, le canard, la vache, le chien, le chat, le lion, les oiseaux, le serpent.

— Projection de la langue vers l'avant. Demander à l'enfant de décrire, avec la langue, le contour de sa bouche. Bien que les exercices sur les mouvements de la bouche soient importants, il ne faut pas pour autant négliger d'apprendre à tenir la bouche fermée.

— Demander à l'enfant de tenir un morceau de papier entre les dents (5 secondes), puis entre les lèvres.

— Reprendre en augmentant progressivement l'épaisseur de l'objet à tenir entre les dents et les lèvres.

— Revenir à l'exercice initial avec le papier.

— Passer un fil dans un bouton ou un anneau quelconque et demander à l'enfant de tenir le fil avec ses lèvres. Augmenter le poids de l'objet suspendu (sans toutefois exagérer).

— Demander à l'enfant de garder sa bouche fermée sans effort, c'est-à-dire sans faire de grimace, pendant un temps que l'on augmentera graduellement.

Structuration de l'expression (vocabulaire)

L'enfant apprend à écouter et à s'exprimer librement. Cependant, il est nécessaire de structurer l'expression des idées de l'enfant. Certains auteurs s'attardent au développement du vocabulaire et négligent la structuration qui est l'élément directeur de l'expression des idées.

Commencer par un simple jeu d'association libre.

— Présenter un mot type, trouver des mots associés au mot type. Exemple : *école*, livre, maîtresse, directeur, conseiller, bâtiment, sac d'école, crayon de couleur, papier de couleur, dessin, lecture, tableau, etc.
Donner jusqu'à trois mots clefs par séance. Exemple : automobile, cuisine, la bicyclette, le cheval, etc.

— Présenter des images ou des photos.
Nommer le plus de choses possible se rapportant à l'image ou à la photo.

— Proposer un terme générique et demander de nommer des termes spécifiques qui en font partie. Exemple : meuble ; nommer autant de meubles que possible. En découper dans des catalogues.

— Commencer un album intitulé « vocabulaire » dans lequel l'enfant pourrait coller les images découpées en relation avec le mot à illustrer.

— Reprendre et faire faire des associations libres.

— Lorsque l'enfant a nommé plusieurs meubles, lui demander de trouver un adjectif qui correspond à chacun d'eux et de construire des phrases : voici une table, elle est ronde, elle a quatre pattes, elle est brune, etc.

— Présenter une image à l'enfant et lui demander de construire une phrase à partir de cette image.

— Demander à chaque enfant de se décrire, puis de décrire un compagnon de classe (grandeur, couleur des yeux, des cheveux, description des vêtements, etc.).

Comme l'enseignait la méthode traditionnelle, il est important d'illustrer et de toujours laisser en évidence toutes les lettres de l'alphabet (en majuscules et en minuscules). Les présenter de la même façon que les chiffres (voir chap. 5).

Comme pour les chiffres, on doit étudier chaque lettre de l'alphabet l'une après l'autre, dans l'ordre conventionnel. La lettre A est donc la première.

— Illustrer sur un grand carton la lettre A, en majuscule et en minuscule. Illustrer le carton avec le dessin d'un objet qui commence par A, comme avion, et placer le carton sur un mur vide. (Fig. 6.4)

Fig. 6.4

— Faire décrire la lettre, les éléments qui la composent dans le sens d'une analyse perceptuelle par exemple le A est composé de deux obliques une verticale, ressemble à un triangle, etc...

— Trouver des mots qui commencent par A, les écrire sur des cartons que l'on place autour de la lettre illustrée. Les copier dans le cahier de vocabulaire, et coller photos ou mots découpés.

— Assigner des travaux de recherche à la maison.

Quelques jours plus tard ou la semaine suivante, enlever tout ce qui concerne le A et recommencer le même travail avec la lettre B.

Continuer ainsi avec toutes les lettres de l'alphabet.

Nous suggérons de toujours laisser à la portée de l'enfant un dictionnaire illustré, afin qu'il puisse y chercher les mots, les épeler, les inscrire dans son cahier.

Matériel : petits cartons d'environ 2,5 cm (1 pouce) de côté ; 3 ou 4 cartons de chacune des consonnes et 6 ou 7 de chacune des voyelles. Lettres scriptes ou cursives.

— Construire ainsi différents mots déjà illustrés ; les présenter sous forme de mots croisés ou autrement.

Stimuler l'imagination de l'enfant tout en restant près du réel. Il est nécessaire d'affiner son esprit d'observation afin qu'il puisse s'exprimer avec un vocabulaire varié et sache construire correctement des phrases.

Il ne faut pas oublier qu'on exprime sa pensée par un système qui comprend : sons, gestes, signes graphiques, comportements différents, transformations psychophysiologiques.

Décrire un objet, c'est définir à partir de l'observation et des connaissances sensorielles ce qui le rend différent des autres objets.

Tout objet a une fin et des caractéristiques que l'on enregistre par les sens, la mémoire et la sensibilité ; par exemple une voiture ronronne, se déplace, on peut la prendre pour faire des excursions, etc.

On attire l'attention sur l'utilité, la valeur de l'objet, les sentiments qu'il inspire, sur ses qualités (dimensions, forme, couleur), sur ses parties essentielles et ses parties secondaires.

Thèmes de recherche

L'habitation, le salon, la cheminée, l'escalier, le bureau, la cuisine, la chambre à coucher, le chauffage, l'éclairage, le téléphone, la radio, la télévision.

Moyens de transport

L'automobile, la bicyclette, la locomotive, l'avion, la navigation, les animaux.

Les végétaux

Description, leur rôle et leur utilité sur le plan nutritif ou esthétique. Ce qui frappe les sens : la vue (couleur, forme, taille, position) l'odorat, le goût, l'ouïe, le toucher.

Les animaux

Description et classification (forme, taille, traits généraux) mœurs, qualités et défauts, utilité et nocivité.

Les personnes

Distinguer une personne d'une autre par l'âge, la taille, le sexe, le visage, les vêtements, la coiffure, les qualités et les défauts.

Les lieux

Les différentes constructions, les agglomérations (ville, rues, quartiers, etc.), les enclos, les paysages, la circulation, la population, les pays lointains, les cultures, etc.

Les phénomènes naturels

La tempête, la pluie, la neige, la poudrerie, la grêle, le lever et le coucher du soleil, la lune, etc. (ce que nous voyons et ce que nous ressentons).

Histoires et actions

Il y a des actions simples comme celle de lever la main et d'autres plus complexes, comme celle de conduire une voiture. Il en est de même d'une histoire. Apprendre à l'enfant à raconter une histoire ou à décrire une scène, de telle sorte que les auditeurs aient l'impression de la voir se dérouler sous leurs yeux.

Leur montrer comment faire ressortir l'action principale tout en décrivant certaines actions secondaires. Insister sur l'ordre chronologique de la narration, faire remarquer que ce sont les actions secondaires qui préparent l'action principale. En ce qui concerne la description de scènes, expliquer aux enfants qu'il s'agit d'un ensemble d'actions qui se déroulent en un même lieu et en un moment déterminé. Il est nécessaire d'attirer leur attention sur les idées que l'on désire exprimer dans une histoire ou dans une scène, sur l'attitude des personnages impliqués ainsi que sur les circonstances de lieu et de temps.

Les mass-media

Analyser avec les enfants la signification des différents panneaux publicitaires que l'on peut voir dans la rue, sur les bâtiments, ainsi que les enseignes de magasins.

— Demander à l'enfant où il demeure, il répondra par le numéro et le nom de la rue. Comment le sait-il? Faire les associations nécessaires (annuaire, lettres reçues à la maison, panneau indicateur au coin de la rue).

— Faire différencier les étiquettes; celles qui indiquent le prix d'un objet, celles qui définissent le contenu d'une boîte, etc.

— Apporter différents dépliants ou annonces publicitaires découpées dans la presse; expliquer à l'enfant la raison d'être de la publicité.

Message symbolique (Fig. 6.5)

Certaines enseignes expriment leur message par une simple illustration; par exemple, le petit bonhomme lumineux vert qui indique qu'on peut traverser la rue et la main qui signifie que l'on doit attendre, les flèches qui indiquent la direction, le personnage sur les portes des toilettes, les gros cornets de crème glacée là où l'on vend de la crème glacée, la colonne bleu, blanc, rouge du barbier, etc. Les plaques d'immatriculation sur les voitures comportent un code qui indique que le véhicule est un camion, une automobile, un taxi, une voiture de médecin...

Fig. 6.5

On peut aussi savoir de quelle province et même de quel pays vient la voiture. Au zoo, il y a devant chaque cage un écriteau sur lequel sont mentionnés le nom, l'espèce et l'origine de chaque animal. Il en est de même pour les plantes, au jardin botanique.

Les fêtes (Noël, Halloween, Pâques, la Saint-Valentin, etc.) ont aussi des symboles qui les identifient (sapin, citrouille, œuf, cœur). Les panneaux de signalisation routière indiquent le nom des villes, des villages, le nombre de milles qui les séparent, le nom des rues, le tracé de la route, les virages, les côtes, les dangers (traversée de certains animaux, passage de chemin de fer, etc.). Procurez-vous une liste de ces panneaux, avec leur légende, au ministère des Transports.

Plus l'enfant grandit, plus son vocabulaire s'organise systématiquement. Il comprend les notions de séries, de contraste.

— Trouver des mots qui s'apparentent, par exemple, un papa et un garçon, balle et lancer, la neige et l'hiver.
 Préparer des stencils illustrés sur lesquels il faudra joindre par un trait les dessins qui vont ensemble.

— Présenter des séries de 3 mots ; à l'intérieur de chaque série, encercler les mots qui vont ensemble.

— Même exercice avec des séries de 3 ou 4 chiffres, 3 ou 4 lettres, etc.

— Citer deux noms d'objets ou d'animaux, et demander en quoi ils se ressemblent ; exemple, chat et souris (ils ont tous les deux des moustaches, quatre pattes, une longue queue, des oreilles pointues, etc.).

— Même exercice mais en proposant 3 mots. Exemple : chat, chaise, table (ils ont tous des pattes), tête, roue, orange (tous ont une forme ronde), etc. (Fig. 6.6)
 Continuer avec des séries de 4 mots, encercler celui qui ne s'apparente pas aux autres. Exemple : lit, drap, [pomme], oreiller.

— Même exercice avec 5 mots, dont deux seront encerclés.

— Faire le même exercice avec des chiffres.

— Donner 3 noms d'objets, d'animaux, etc., appartenant à un groupe. Trouver le terme générique. Exemple : canari, pigeon, perroquet ; ce sont des oiseaux. Italie, France, Allemagne ; ce sont des pays.

— Poser des devinettes : les gants sont à la main ce que les souliers sont au... ? Réponse : pied. On peut trouver plusieurs combinaisons du même genre. Poser des devinettes pendant plusieurs jours ; exemple, la citrouille est à l'Halloween ce que le cœur est à la... (Saint-Valentin), ainsi de suite. (Fig. 6.7)

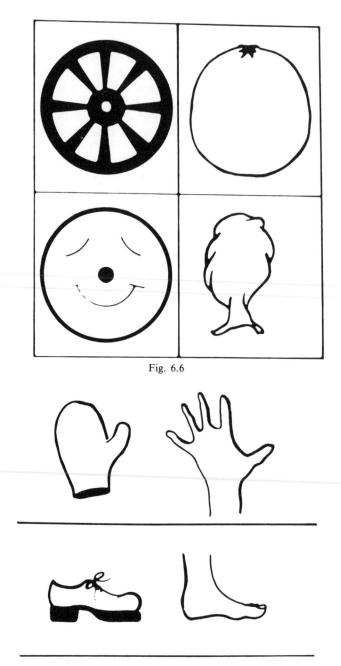

Fig. 6.6

Fig. 6.7

— Mêmes exercices avec les verbes. Une fourchette? c'est pour...
(piquer les aliments); un couteau, c'est pour... (couper).

— Dire les premiers mots d'une série et l'enfant doit trouver la
suite. Exemple : mardi, mercredi, jeudi... (vendredi). Les doigts,
la main, le poignet ; l'enfant doit dire : le bras, etc.

— Préparer une série de lettres, de chiffres ou de figures dans un
ordre que l'enfant doit systématiquement continuer.

— Chercher un quatrième mot qui va avec une série de trois ;
exemple, fauteuil va avec table, chaise, sofa.

— Dans une série de quatre mots d'un même groupe, trouver celui
ou ceux qui forment un sous-groupe. Exemple, dans l'habil-
lement : bottine, soulier, manteau, chaussette.

— Faire faire des associations primaires telles que : les bananes
sont jaunes, trouver d'autres objets qui sont de la même
couleur.

— Présenter différents types de classement selon la grosseur,
l'odeur, le goût, la sensation.

— Suggérer à l'enfant de bien écouter et prononcer une série de
mots déjà étudiés. Demander alors pourquoi les mots que vous
venez de dire forment un groupe ; pourquoi ils vont ensemble ?
Prenez par exemple, des marques d'automobiles, des marques
de pâte dentifrice, des titres de revues ou de journaux, des
marques de boissons, de céréales, de boîtes de chocolat.

— Lorsque l'enfant a bien compris la notion de groupe, donner
une dizaine de mots ; l'enfant devra nommer 2 ou 3 groupes
dans lesquels s'insèrent ces mots.

— Identifier une profession, une voiture, par leurs différentes
caractéristiques.

— Apprendre à distinguer les uniformes : ceux des pompiers, des
policiers, des garde-malades, des soldats, des employés de
postes, des serveuses de restaurants, etc.

Nous devons établir une première distinction entre les noms, les verbes
et les adjectifs. Au fur et à mesure que l'enfant grandit, cette distinction
deviendra plus complexe, c'est-à-dire qu'on introduira les pronoms, les
adverbes, les adjectifs qualitatifs, quantitatifs, etc. Il est recommandé
de sélectionner tout d'abord trois ou quatre objets familiers que l'on
identifie avec l'enfant, comme objet. On procède de la même façon
avec un groupe de compagnons de classe qui seront identifiés comme
personnes, individus.

Les noms choisis peuvent être des objets, des personnes, des pays,
etc. Il n'est plus question de classification mais de *conceptualisation*.

— Trouver des adjectifs qui complètent un mot donné.

On introduit ensuite les mots qui expriment des actions : les verbes. L'enfant doit réaliser que l'action n'a aucun rapport avec l'objet lui-même, qu'elle peut s'appliquer à un autre objet ou se comprendre seule. Par exemple, conduire une automobile ou un camion ; aller à bicyclette...

> Montrer des images illustrant des verbes d'action. Exemple : un homme qui marche, qui saute, etc. (Fig. 6.8)

— Mimer différentes activités et les identifier par un verbe.

— Montrer des séquences d'actions diverses (voir celles des boîtes du *Peabody*) ; trouver les verbes qui s'appliquent aux différentes actions.

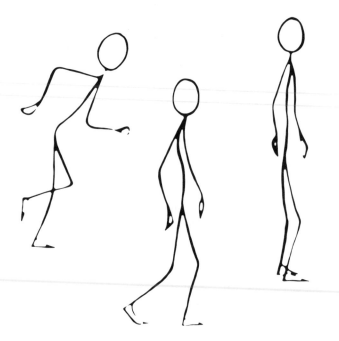

Fig. 6.8

Il faut maintenant expliquer à l'enfant le concept de qualité. Il doit saisir que les mots *beau, vieux, petit*, par exemple, sont des qualités. À cet effet, on peut faire vivre à l'enfant différentes expériences sensorielles.

— Sélectionner des images illustrant des objets qui peuvent se présenter sous différents aspects (grosseur, longueur, couleur, etc.).

— Décrire un objet ou une personne de façon qualitative.

— Construire une phrase comprenant le plus de mots possible exprimant une qualité.

On aborde ensuite les prépositions, qui très souvent signalent la localisation d'un objet, d'une personne. On rejoint ainsi la notion d'espace et de temps ; exemple : sur, sous, devant, derrière, etc.

— Montrer des images et demander de préciser où se trouve exactement tel ou tel objet.
— Dictée de prépositions. Sur des images ou des photos, faire une croix sous, sur, au-dessus, à droite, à gauche de telle ou telle chose.

Exercices divers

— Présenter une série de noms. Demander de trouver un adjectif approprié à chacun d'eux, puis de composer une phrase courte avec nom, verbe et adjectif.
— Lire une phrase et trouver le verbe de la phrase ; expliquer l'action.
— Faire des exercices de grammaire élémentaire.

Similitudes

Trouver des adjectifs ou qualificatifs quelconques qui puissent correspondre à un même objet ; par exemple, une pomme et une pêche sont toutes deux des fruits ; un chat et une souris sont des animaux.

Recherche systématique des synonymes et des contraires

— Trouver le synonyme d'un mot (nom, verbe, adjectif).
— Trouver l'antonyme.
— Remplacer l'adjectif, dans une phrase simple, par un synonyme, puis par un antonyme.
— Construire une phrase qui signifie le contraire d'une phrase donnée.
— Répéter une histoire que l'on vient d'entendre en changeant certains mots.
— Présenter deux séries d'illustrations, l'une représentant le contraire de l'autre. (Fig. 6.9)
— Lire des phrases que l'enfant devra compléter avec le mot ou l'adjectif approprié. Exemple : Jacques n'aime pas travailler, il est... (paresseux). Suzanne a gagné le premier prix du concours, c'est la... (gagnante). Lorsqu'il y a un blessé, on appelle un... (médecin), etc.

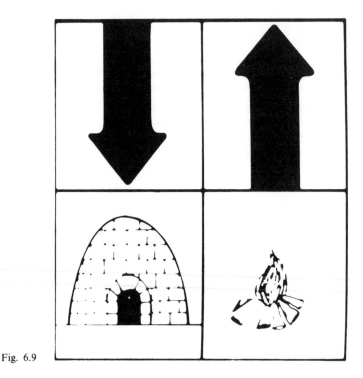

Fig. 6.9

— Décrire des métiers; par exemple, demander à l'enfant: que fait la coiffeuse? la serveuse? le vétérinaire? etc.

— À partir d'un mot (nom, verbe ou adjectif) composer trois phrases. Construire ensuite trois autres phrases ayant un sens contraire.

Certains de ces exercices peuvent se faire pendant plusieurs jours de suite. Il est recommandé, lorsque cela est possible, de former des groupes, ou même deux équipes compétitives, dans la classe.

— Lire une dizaine de phrases dans lesquelles certains mots n'ont aucun sens dans le contexte. Exemple: maman est en train de préparer le souper, elle met le chandail à cuire. L'enfant devra lever la main chaque fois qu'il reconnaîtra un mot qui ne convient pas au sens de la phrase.

— Lire une phrase courte, puis la relire en omettant un mot. L'enfant doit trouver le mot oublié.

— Reprendre en augmentant la longueur de la phrase puis en mettant deux mots, puis trois, etc.

— Trouver des questions à partir de phrases réponses assez courtes.

— Prononcer 4 mots qui ont la même consonance ; l'enfant devra distinguer un de ces mots pour répondre à une question.

— Lire une phrase, puis la relire en remplaçant un mot par un autre. Trouver le mot qui a été changé.
Exemple : « Jacques joue avec ses sept petits camions. » Puis, « Jacques joue avec ses six petits camions. »

— Lire cette fois des phrases qui n'ont pas de sens. Exemple : « Je suis rentré par la porte qui avait l'enseigne sortie » ; ou encore, « Dès que la neige fondra on pourra patiner », etc.

— Répéter une série de chiffres.

— Lire quatre chiffres différents, se souvenir du deuxième, du troisième, du nombre pair, du nombre impair. Donner le chiffre qui suit tel autre, etc.

— Trouver combien de fois on entend un certain son dans une phrase.

— Trouver, dans une série de 3 mots, celui qui répond à la question posée. Exemple : pomme, bureau, chien. Qu'est-ce qui est vivant ? Monstre, bébé, fleur. Qu'est-ce qui est laid ? Rendre plus complexe cet exercice en ajoutant des adjectifs tels que le plus vieux, le plus grand, le plus lent, le dernier, le premier, etc.

— Substituer un mot à un autre dans une phrase, de façon à modifier le sens de cette phrase.

— Énoncer une série de mots dans un ordre quelconque.
Exemple : chien, souris, éléphant, vache ; demander de les classer par ordre de grandeur.
Bébé, grand-mère, mère, adolescent ; demander de les classer selon l'âge.
Classer aussi des lettres, des chiffres, etc.

— Faire sortir de la pièce un groupe de 8 à 10 enfants. Raconter à ceux qui restent une histoire très courte. Faire rentrer les enfants les uns après les autres et demander au groupe qui connaît l'histoire de la raconter chaque fois, si possible, avec les mêmes mots. Faire remarquer que l'on raconte rarement la même histoire de la même façon et avec les mêmes mots, et qu'elle finit souvent par changer de signification.

— Amener l'enfant à nommer et décrire des jeux.

— Reprendre les lettres de l'alphabet.
Trouver des mots qui contiennent une lettre donnée ; exemple : le « a » dans chat (l'emplacement de la lettre n'est pas important).

— Choisir des mots de plus en plus longs.

— Dans une série de 4 ou 5 mots, nommer une lettre qui se retrouve dans tous les mots.

— Trouver le singulier d'une série de mots au pluriel.
— Trouver les synonymes d'une liste de mots (un dictionnaire des synonymes est très utile pour ce genre d'exercice).
— Construire une phrase à partir d'un mot donné, puis une autre phrase avec un synonyme de ce mot, et enfin une troisième avec un antonyme.
— Construire une phrase à partir de 3 mots donnés.
— Trouver une série d'expressions du langage populaire. Exemple : « c'est un bon gars », « j'm'en fous », etc. Demander à l'enfant de définir le sens de chacune d'elles.

De la compréhension globale auditive à la lecture

On abordera le problème de la compréhension, c'est-à-dire que l'on s'attachera à développer l'habileté à saisir rapidement un sens global et non pas au sens de l'affectivité. Nous croyons fermement que l'émotivité qui complète la compréhension est une dimension très personnelle et relative à l'individu.

Il est nécessaire de développer le langage auditif avant d'aborder le langage visuel, soit la lecture, et d'établir une progression systématique du langage concret au langage abstrait. Lorsqu'on lit une histoire à l'enfant, il doit être capable, avec l'âge, non seulement d'écouter pendant des périodes de plus en plus longues, mais aussi d'aborder de plus en plus d'informations, de reconnaître des mots et de saisir le sens général de la narration en relation avec des idées spécifiques, liées à ses expériences vécues.

— Raconter une histoire en montrant à l'enfant une illustration de la scène. Il devra regarder cette image pendant toute la durée de l'histoire. De cette façon, l'enfant est obligé d'écouter et d'associer les mots à l'image qui est devant lui.
— Lecture silencieuse. L'enfant suit l'histoire que l'on raconte, et fait des signes au crayon sur l'image pour montrer qu'il suit l'histoire et la comprend. Exemple : « Lorsque papa revient de son travail, il range sa voiture dans le garage. » L'enfant fait une croix à l'endroit où papa range sa voiture.
— À partir d'une image, inventer une histoire. Il faut arriver à faire réfléchir l'enfant sur les phrases qu'il entend. Il est bon d'écrire ces phrases au tableau.
— Trouver les erreurs dans une photo, une phrase, une histoire, sur un dessin. Le magazine *Sesame Street* publie souvent des dessins pour ce genre d'exercices.
— Imaginer ce qui se passe dans une des parties de la photo ou de l'image que l'on ne voit pas. Exemple : « Qu'y a-t-il dans la maison, derrière le garage ? », etc.

— Classer une série de photos selon une suite logique.

— Même exercice avec une liste de mots.

— À partir d'une phrase donnée, construire une nouvelle phrase qui sera la suite logique de la première.

— Discuter des expressions : « Je ne peux pas », « Peut-être ? », « Une minute ! », « Comment ? », « Quand ? », etc.

— Discuter des phénomènes de la nature, des feuilles des arbres, de la glace, etc., puis des catastrophes naturelles : tornade, éruption volcanique, inondation.
S'aider d'une encyclopédie ou d'articles de journaux.

Lecture

La lecture implique un enchaînement d'activités dans un processus plus ou moins complexe telles que le mouvement de l'œil de gauche à droite ; la discrimination, la mémoire, etc. Il faudra donc entraîner les muscles des yeux ainsi que les habiletés relevant des modalités visuelles, auditives et kynestésiques. Nous reprendrons pour cela, les exercices déjà mentionnés dans la section « coordination œil-main », chapitre 3.

L'expérience est un autre élément indispensable à la lecture. L'enfant doit avoir fait l'expérience auditive et visuelle du mot et de sa composition symbolique ; il doit comprendre par l'expérience le sens de ce mot. Sur le plan phonétique, il doit connaître le son du mot pour pouvoir le traduire dans son équivalent visuel.

La lecture est une habileté qui doit s'apprendre lentement et avec beaucoup de raffinement.

Il faut prendre le temps nécessaire pour que chaque aspect de cet apprentissage soit bien intégré avant d'en aborder un nouveau. Chez certains enfants, le temps nécessaire à cette assimilation est très court ; pour d'autres, il est beaucoup plus long. Il y a des enfants de 7, 8 ou 9 ans qui ne sont pas encore prêts à lire ; il conviendra donc de suivre le rythme de l'enfant et de ne pas l'obliger à apprendre plus vite qu'il n'en est capable. En ce qui concerne les méthodes de lecture, méthode des couleurs, méthode de phonétique, méthode dynamique ou traditionnelle, etc., c'est au professeur de trouver celle qui conviendra à l'enfant. Il n'est pas nécessaire d'être aveugle pour apprendre le braille, ou sourd pour apprendre l'alphabet manuel. Il existe d'ailleurs une corrélation entre les langages visuel et auditif dans l'alphabet international ou traditionnel.

Il s'agit de développer l'expérience des mots parlés et vécus et de l'intégrer à l'expérience des mots imprimés.

Avant de pouvoir lire un mot, l'enfant doit connaître et grouper les symboles, c'est-à-dire l'ensemble des lettres qui représentent le mot; il le fera d'abord oralement, puis par écrit.

Exercices pour le contrôle des muscles fins

— Tracer les formes de base de l'écriture : cercle, carré ou triangle. L'enfant doit apprendre à tracer une figure, un symbole, avant d'en ajouter d'autres pour former une série. (Fig. 6.10)

Fig. 6.10

— Reprendre les exercices sur la discrimination figure-fond (chap. 3, p. 120).
— Compléter des lettres.
— Dessiner le contour des mots (attention aux détails et à l'orientation des lettres). Voir les exercices Frostig ou ceux de *Continental Press*.
— Fabriquer des mots avec les petites cartes de lettres (voir p. 125).
  L'aspect grammatical n'est pas important à ce stade, essayer toutefois d'obtenir une orthographe correcte.

— Faire épeler une série de mots en identifiant chaque symbole avec une lettre en plastique. Progressivement, fabriquer des mots ; c'est une lecture avec les mains.

— Même exercice avec des lettres en papier émeri, en velours, en plasticine, etc.

— Faire faire des mots croisés, des jeux de loto-lecture. On trouve chez Fernand Nathan des jeux de lecture bien adaptés.

Séquence

Chaque mot est formé d'une série de lettres. Faire faire d'abord des exercices de sériation non verbale (voir chap. 3, p. 127).

— Copier sur un papier les lettres en script et en cursive. Petit à petit, on associe et on identifie ces symboles avec une image, qui devient elle-même un mot symbolisé.

Discrimination des mots

— Mettre dans une boîte plusieurs papiers portant chacun un mot. Tirer un mot au hasard, l'épeler et l'écrire.

— Même exercice avec des phrases, puis avec des textes entiers.

Il faut développer la simultanéité vision-audition ; voir le mot, le prononcer et l'écrire. Au début utiliser l'écriture script, puisque c'est celle-là que l'enfant voit le plus souvent. N'introduire l'écriture cursive que lorsque l'enfant est prêt à effectuer la transition.

Il est important lorsqu'on étudie des mots de se servir de ceux qui sont familiers à l'enfant. Afficher au tableau une image autour de laquelle on fixe des étiquettes portant chacune un mot. On peut, à nouveau, se référer à certains chapitres sur le langage parlé et écrit, de Suzanne Borel-Maisonny (vol. 1).

Essayer d'éliminer les stimuli de l'environnement, c'est-à-dire tout ce qui ne concerne pas le mot étudié. Pour cela, construire une sorte de petit cadre avec du papier noir, cadre que l'on placera autour du mot à lire, de telle façon que l'enfant n'ait plus que ce seul mot sous les yeux.

Intérêt

Le langage et la connaissance sont interdépendants. Plus nombreuses seront les expériences vécues par l'enfant, plus ses connaissances s'accroîtront et plus son vocabulaire sera étendu.

Cependant, pour se servir du langage de façon intelligente, il est nécessaire d'avoir quelque chose à transmettre, et son désir de communiquer dépendra de ce qui l'intéresse. La mémoire enregistrera les idées qui ont le mieux capté les intérêts de base. On ne devrait pas exiger que l'enfant écrive s'il n'a rien à communiquer. C'est à l'éducateur d'éveiller l'intérêt de l'enfant en lui racontant des histoires qui stimuleront son désir de connaissance et de communication. Les enfants doivent lire par plaisir et non par obligation. Ils doivent lire pour eux-mêmes et non pour les autres, ce qui signifie que la méthode par laquelle ils apprennent est tout à fait secondaire.

Le terme *dyslexie* (voir chap. 3, p. 107) désigne à lui seul les différents problèmes causés par un déficit perceptivo-moteur visuel et auditif, qu'il s'agisse de réceptivité ou d'émission.

En général, la discrimination visuelle est pauvre ; l'enfant dyslexique confond les lettres et (ou) les mots. Il est incapable de percevoir la configuration globale du mot ou encore il a tendance à inverser les lettres dans un mot ou les mots dans une phrase. Il est incapable de les conserver dans l'ordre. Cela explique ses difficultés en lecture, puis en écriture (dysgraphie).

En lecture, il est important que l'enfant reconnaisse la forme des lettres, la composition des mots, et qu'il puisse faire également l'analyse structurale et phonétique de la phrase ou du texte.

— Habituer l'enfant à remarquer, puis à reconnaître les différences entre les lettres et les mots (configuration, orientation, etc.).

[Il existe sur le marché un assez grand nombre d'ouvrages traitant de la rééducation des dyslexiques (cf. bibliographie, p. 225)].

Par la suite, l'enfant doit, au moyen d'un processus neuro-psychologique très complexe, pouvoir transmettre ces mêmes choses par écrit. Il ne s'agit pas de copie, mais bien d'une réelle transmission de la pensée par écrit.

La *dysgraphie* (voir chap. 3, p. 107) est le résultat de troubles d'intégration visuo-motrice. Les exercices déjà cités servent à corriger le déficit moteur, mais il sera nécessaire que l'enfant apprenne à exprimer ses idées en suivant différentes méthodes.

DÉFINITIONS DE TERMES

Antonymes – Mots qui ont un sens opposé ou contraire.

Aphasie (dysphasie) – Elle concerne le langage sur les plans de la réception et de l'expression. C'est une incapacité de recevoir ou de classifier, en les intégrant, les symboles linguistiques. L'aphasique peut donc parler, mais ses propos sont, en général, inappropriés et dépourvus de sens.

Articulation – Elle dépend totalement du bon fonctionnement des organes phonateurs ; elle implique le rythme et la liberté de mouvement de la langue latéralement et vers l'avant, la perfection de la cavité orale, c'est-à-dire des lèvres, des dents, des mâchoires, ainsi que l'activité régulière de la respiration et un excellent contrôle de tous ces éléments.

Classification – Habileté de situer, classer ou grouper les mots selon un qualificatif commun (nécessite l'association et la dissociation phonétiques).

Écouter – Phénomène qui permet l'intégration des multiples stimuli qui proviennent du milieu extérieur et qui dépend totalement du niveau du seuil d'attention.

Expression libre – Habileté à exprimer clairement sa pensée, ses idées, ses intérêts. Nécessite un raffinement du vocabulaire pour atteindre le but ultime.

Habituation – (Ne pas confondre avec persévération). L'habituation est une certaine forme de conditionnement positif qui permet d'évoluer et de s'adapter à toute nouvelle situation ; tandis que la persévération est l'inhabileté à développer de nouvelles réponses. Les deux sont des impulsions automatiques.

Langage – Le langage est un moyen de communication entre les êtres humains ; il peut être verbal, gestuel, par signes spécifiques (par exemple, le morse ou le braille), écrit (script ou cursive). Son développement suit une évolution particulière : la compréhension et la verbalisation des noms apparaissent d'abord, puis les verbes et enfin les qualificatifs et aspects grammaticaux ; en outre, l'apprentissage des voyelles précède celui des consonnes. Il existe un langage de la pensée, qui suit le développement mental, un langage réceptif qui fait partie de l'audition, de la lecture, un langage expressif qui est parlé, ou moteur, et en général permet de dévoiler la pensée.

Lecture – Habileté à reconnaître, à interpréter et à comprendre les symboles de la linguistique (signes graphiques), et capacité de se rappeler et de comprendre ce qui a été lu.

Qualité – Notion grammaticale des mots qui définit la nature ou la valeur des mots, et élimine tout jargon, écholalie, substitution, omission ou distorsion de sons spécifiques.

Synonymes – Mots qui ont à peu près le même sens.

Vocabulaire – Ensemble des mots d'une langue. L'influence socio-culturelle agit énormément sur son étendue.

SUGGESTIONS DE MATÉRIEL ET DE JEUX

Album pour collage
Albums
    albums roses (Hachette)
    de l'Âge d'or (Casterman)
    de l'Arc-en-ciel (Fides)
    du Père Castor (Flammarion)
    grands albums (Hachette)
Ami-Amis (Hatier)
« Belles histoires — belles images » (Nathan)
Bien lire et aimer lire (de S. de Sacy)
« Cadet rama » (Casterman)
Cartes des lettres de l'alphabet (différentes grosseurs et formes)
Catalogues et revues pour découpage
Collection du *Peabody*

Contes de maman Fon-fon (Fides)

Dictionnaire pour enfants

Encyclopédie Sasek (Casterman)

Fiches de travail de Colette Bergeron (Édition Nouvelle)

Images d'activités

Je compose mon dictionnaire (de S. Buissière)

Jeux

    de « Concentration », fondé sur le programme télévisé

    de découpage, de point d'aiguille, ensemble de tissage, etc.

    de « Monopoly »

    de pêche des mots (lettres et mots)

    de « Scrabble » pour enfants

Je veux lire (de S. Buissière)

« Le gai savoir » (L'école des loisirs)

Livres d'enfants (albums, encyclopédies)

Loto-lecture

Marionnettes de types divers

Miroir

Observation scientifique simple

Pailles

Projecteur et magnétophone

Revues du *Sesame Street*

BIBLIOGRAPHIE

A. En français

AIMARD, P., *l'Enfant et son langage*, SIMER Éditions, 1972.

AJURIAGUERRA, J. de *et al., Organisation psychologique et troubles du développement du langage*, Paris, PUF, 1963.

ALVES-GARCIA, J., *les Troubles du langage*, Paris, Masson, 1963.

BARBIZET, J., *la Rééducation du langage*, Paris, Presse médicale, 1966.

BENVENISTE, E., *le Langage et l'expérience humaine*, Paris, Gallimard, 1965.

BEREILH, J., *Vocabulaire de base*, Paris, O. C. D. L., « Je lis tout seul ».

BLED, O., *Premier Livre d'orthographe*, Paris, Hachette.

BOREL-MAISONNY, S., *Langage oral et langage écrit*, Neuchâtel, Delachaux et Niestlé, 1960, vol. I et II.

BURION, J., *la Lecture silencieuse. Nous lisons... nous comprenons*, Bruxelles, Labor.

_____, *la Lecture silencieuse. Nous lisons... nous répondons*, Bruxelles, Labor.

BUSSIÈRES, S., *Je sais lire*, Montréal, Pedagogia, 1965.

_____, *Lexique. Je compose mon dictionnaire*, Montréal, Pedagogia, 1968.

_____, *Je veux lire*, Montréal, Pedagogia, 1968.

CACERES, G., *la Lecture*, Paris, Seuil, « Peuple et culture », 1961.

CAHN, R. et T. MOUTON, *Affectivité et troubles du langage écrit chez l'enfant et l'adolescent*, Toulouse, Privat, 1967.

CHASSAGNY, C., *l'Apprentissage de la lecture chez l'enfant*, Paris, PUF, 1954.

——————, *la Lecture et l'orthographe chez l'enfant*, Paris, PUF, 1968.

——————, *Manuel pour la rééducation de la lecture et de l'orthographe*, Paris, Néret, 1962.

COHEN, M., I. LEZINE, F. KOCHER et al., *Études sur le langage enfantin*, Paris, Scarabée, 1962.

DEHEUT, A., *Étude expérimentale des méthodes d'apprentissage de la lecture*, Louvain, Librairie universitaire de Louvain, 1968.

DELACROIX, H., *l'Enfant et le langage*, Paris, Alcan, 1934.

DURIEU, C., *la Rééducation des aphasiques*, Paris, Dessart.

EHRLICH, S., *la Capacité d'appréhension verbale*, Paris, PUF.

FALINSKI, E., *Psycho-pédagogie du langage écrit*, Paris, Harmann, 1966.

FREINET, C. et al., *les Techniques Freinet de l'école moderne*, Paris, Colin-Bourrelier, 1969.

GIROLAMI-BOULINIER, A., *Pour une pédagogie de l'écriture*, Neuchâtel, Delachaux et Niestlé.

GRAY, W. S., *l'Enseignement de la lecture et de l'écriture*, Paris, Unesco, 1966.

GRÉGOIRE, A., *l'Apprentissage du langage*, Paris, Alcan, 1937.

HECAEN, H. et R. ANGLERGUES, *Pathologie du langage. L'Aphasie*, Paris, Larousse.

INIZAN, A., *le Temps d'apprendre à lire*, Paris, Colin, 1968.

JADOULLE, A., *Apprentissage de la lecture et la dyslexie*, Paris, PUF, 1962.

LAUNAY, C. et al., *les Troubles du langage, de la parole et de la voix chez l'enfant*, Paris, Masson, 1973.

LE MAÎTRE, J., *la Lecture: cahiers de l'école et la vie*, Paris, Colin, 1972.

LENTIN, L., *Apprendre à parler à l'enfant, où, quand, comment?*, Paris, Éditions sociales françaises.

MAISTRE, M. de, *Dyslexie dysorthographique*, Paris, Éditions universitaires, 1968.

MIALARET, G., *l'Apprentissage de la lecture*, Paris, PUF, 1966.

MILLER, G. A., *Langage et communication*, Paris, PUF, 1956.

OLERON, P., *Langage et développement mental*, Paris, Dessart, 1972.

OMBREDIENNE, A., *l'Aphasie et l'élaboration de la pensée explicite*, Paris, PUF, 1951.

PENFIELD, W. et L. ROBERTS, *Langage et mécanismes cérébraux*, Paris, PUF.

PIAGET, J., *le Langage et la pensée chez l'enfant*, 7ᵉ éd., Neuchâtel, Delachaux et Niestlé, 1968.

PICARD, M., *Mon premier vocabulaire*, Paris, Colin-Bourrelier.

PICHON, E., *le Bégaiement*, Paris, Masson, 1964.

POLLETI, M., *Introduction aux marionnettes*, Saint-Jean, Héritage, 1968.

RICHELLE, M., *Acquisition du langage*, Paris, Dessart.

SACY, S. C. de, *Rééducation de l'orthographe*, Paris, Éditions sociales françaises, 1965.

——————, *Lecture, base de l'orthographe*, Paris, E. S. F., 1962.

——————, *Bien lire et aimer lire*, Paris, E. S. F., 1969.

SEEMAN, M., *les Troubles du langage chez l'enfant*, Paris, Maloine, 1967.

SÉGUIN, J., *Ma première encyclopédie*, Paris, Larousse.

SIMON, J., *Psychopédagogie de l'orthographe*, Paris, PUF, 1973.

TAYLOR, I. T., *Je lis tout seul*, Paris, O. C. D. L.

TISSOT, R., *Neuro-psychologie de l'aphasie*, Paris, Masson, 1966.

TORO, M. de, *Larousse des débutants*, Paris, Larousse.

B. En anglais

ADLER, S., *The Non-Verbal Child*, Springfield, Charles C. Thomas, 1964.

BARLEY, F., *Brain Mechanisms Underlying Speech and Language*, New York, Grune & Stratton, 1965.

CARRELL, J., *Disorders of Articulation*, Englewood Cliffs, Prentice-Hall.

DUNN, L., K. HORTON et J. SMITH, *Peabody Language Development*, St. Paul (Minn.), American Guidance Service.

DELACATO, C. H., *The Diagnosis and Treatment of Speech and Reading Problems*, Springfield, Charles C. Thomas, 1963.

GILLINGHAM, A. et B. STILLMAN, *Remedial Training for Children with Specific Reading, Spelling and Penmanship*, Cambridge (Mass.), Educators Publishing Service, 1964.

GOLDSTEIN, H. et E. LEVITT, *A Simplified Reading Readiness Program*, Champaign (Ill.), R. W. Parkinson & Associates.

HORTENSE, B., *The Young Aphasic Child*, Washington, Alexander Graham Bell Ass.

KIRK, S. A., *The Diagnosis and Remediation Psycholinguistic Disabilities*, Urbana, University of Illinois, 1966.

MAZURKIEWICZ, A. *et al., International Teaching Alphabet and Learning Disorders*, Seattle, Special Child Publication.

MONEY, J., *The Disabled Reader: Education of the Dyslexic Child*, Baltimore, Gilbert Schiffman, 1966.

MURPHY, J. F., *Listening, Language and Learning Disabilities*, Montréal, Quebec Association for Children with Learning Disabilities.

MYKLEBUST, H., *Development and Disorders of Written Language*, New York, Grune & Stratton, 1971.

NYGOTSKI, L. S., *Thought and Language*, Cambridge, M. I. T. Press, 1962.

PENFIELD, W., *Speech and Brain Mechanism*, Princeton, Princeton University Press, 1959.

SKINNER, B. F., *Verbal Behavior*, New York, Appleton Century, 1957.

UNIVERSITY OF SOUTHERN CALIFORNIA, *Language Development Experiences*.

CHAPITRE 7

SOCIALISATION

L'homme est un animal social du fait même qu'il est une partie intégrante d'une société bien définie et qu'il prend part à la culture de celle-ci. La socialisation implique que l'individu se comporte de façon culturellement acceptable et adhère aux valeurs et aux idéaux de son groupe.

Même si les produits de la socialisation diffèrent avec les cultures, les mécanismes individuels et sociaux de base sont les mêmes pour tous. En somme, ces mécanismes découlent d'abord du désir d'obtenir l'affection, la considération et l'acceptation des autres, mais aussi du désir d'éviter des situations ou des sentiments déplaisants — être rejeté ou puni par les autres, par exemple. Ils découlent également de l'aspiration à ressembler aux personnes que l'enfant a appris à respecter, admirer et aimer (identification) et enfin de la tendance à imiter les actions des autres.

Il est extrêmement difficile de dissocier le développement social et le développement de la personnalité. Comment pourrait-on en effet imaginer une réaction émotionnelle tout à fait dépouillée de sens social ? Par exemple, dans le phénomène de la peur intervient un jeu d'associations psychiques de type freudien, ou conséquences d'un apprentissage social, avec l'arrivée à un niveau cognitif assez raffiné de l'objet.

Compte tenu que, dans l'ensemble, la socialisation de l'enfant est un phénomène naturel qui implique l'interaction entre les composantes individuelles de l'organisme physique et psychique avec celles d'un environnement physique et psychique particulier à chaque individu, et en tenant compte aussi des pressions de la vie actuelle (surtout dans les grandes villes) qui augmentent à un rythme accéléré et, qu'en contrepartie, il existe un mouvement réactionnel au sein des familles, — soit à l'endroit même où la socialisation se fait —, l'intervention de l'éducateur dans la vie intime de l'enfant devient de plus en plus précise, importante et nécessaire.

À cet effet, il est indispensable que l'éducateur apprenne à connaître l'enfant sous tous ses aspects par l'étude de son anamnèse ou de son histoire familiale, psycho-sociale et éducationnelle, et par une observation minutieuse de toutes les expressions de sa personnalité, de son comportement, de ses habitudes, etc.

Par la suite, l'éducateur devra apprendre à l'enfant à se connaître lui-même, à se comprendre, à se sentir bien tel qu'il est, afin qu'il puisse arriver à être à l'aise avec les autres et capable d'échanges positifs avec ses camarades et avec les adultes.

Image de soi

Les recherches récentes nous permettent aujourd'hui d'affirmer que l'image que l'individu se fait de lui-même agit comme schème de référence et influence ses modes de perception et sa performance au niveau de certaines habiletés. C'est une variable psychologique qui se définit graduellement au cours du processus d'apprentissage et du développement mental.

Il est donc évident que c'est un des premiers aspects sur lequel on doit s'attarder avant même de considérer les relations de l'enfant avec ses camarades, sa famille, le professeur, ainsi qu'avec tous les membres des communautés scolaire et autres. On remarque que l'enfant en bas âge recherche déjà une certaine autonomie ; il a de la peine à exprimer ce besoin, et son égocentrisme est assez difficile à accepter pour son entourage.

Certaines réactions négatives sont socialement acceptables d'un tout-petit. Ce sont, dit-on, des peurs légitimes ; peur des bruits, des étrangers, de la douleur, des événements inconnus ou subits, de certaines choses (un serpent, le feu, la nuit, la hauteur). L'anxiété apparaît alors dans sa forme primaire et se manifeste souvent par la surexcitation, des actes agressifs contre des personnes ou des objets.

Les exigences sociales sont nombreuses. Très jeune, l'enfant doit se conformer aux habitudes de son milieu en matière de nourriture, de sommeil, de propreté ; il se crée ainsi une interaction sociale entre les membres de sa famille et lui. Cependant, le langage, sa nouvelle mobilité, son besoin de tout connaître contribuent à une définition de plus en plus précise de son « moi » comme entité séparée, comme être autonome. L'éducateur devra vérifier comment l'enfant sent son corps, ou ressent chaque partie de son corps.

— Est-il de la même taille que les autres enfants de sa classe ? Sinon, souffre-t-il particulièrement de cette différence ? Il est possible de rencontrer un enfant qui ait la même taille que les autres et qui en soit néanmoins insatisfait. Très souvent, cette réaction négative peut s'observer dans la posture ou dans la démarche de l'enfant.

— Son poids correspond-il à celui de la moyenne des enfants de la classe ? Semble-t-il être un éternel insatisfait, à savoir, a-t-il un besoin constant de manger ou de porter des objets à sa bouche ? L'obésité engendre généralement plus de réactions négatives dans un groupe social que la maigreur, ce qui ne veut pas dire que l'enfant maigre ne ressent aucune animosité vis-à-vis de cette particularité qui implique souvent un manque de force, etc.

Les cheveux de l'enfant sont aussi significatifs des implications du milieu ; ils dénotent l'attention que la mère y apporte, l'intérêt ou le désintérêt de l'enfant à leur endroit. En outre, le fait de jouer avec ses cheveux, de les rouler avec ses doigts, par exemple, est très souvent un symptôme d'anxiété quelconque.

« Les yeux, comme disaient les anciens, sont l'image de l'âme. » Ils peuvent être vides, distraits, distants, cernés, fatigués, rouges, etc. Le strabisme porte souvent les compagnons de classe ou de jeu à se moquer, ou, dans certaines occasions, on a pu remarquer, par les réactions du groupe, que le port de lunettes constituait un élément de faiblesse. Les oreilles, bien que souvent très peu visibles, ont causé de vrais traumatismes chez certains enfants. Le nez ne pose généralement pas de problème majeur à l'enfant très jeune, mais en vieillissant son nez prend souvent des proportions considérées comme ridicules par l'entourage.

La bouche peut être un objet de contrariété, surtout lorsqu'il y a bégaiement. Si l'enfant se représente sur un dessin, certaines expressions d'agressivité peuvent être notées au niveau de la bouche. La perte des dents est naturelle à un certain âge, mais le mauvais entretien de celles-ci peut parfois entraîner la mauvaise haleine qui devient un élément de moquerie. Une implantation défectueuse et le port d'appareils orthodontiques sont aussi très souvent gênants pour l'enfant.

La voix comme telle chez le jeune enfant n'est pas un élément de raillerie pour ses camarades, cependant s'il est très timide ou inhibé, sa diction sera chuchotée ou confuse. Cela peut être réactionnel, c'est-à-dire dû à un facteur émotionnel ou, comme nous l'avons vu dans le chapitre sur l'audition (chap. 4), la conséquence d'un problème psycho-organique.

La malformation du menton (protubérance ou autre) est généralement héréditaire, et l'enfant devra apprendre à faire des associations pour l'accepter.

D'ailleurs l'éducateur peut observer de la même façon tous les aspects du corps de l'enfant (couleur des yeux, cheveux, etc.). L'enfant qui a des problèmes d'épiderme reçoit déjà, en général, des soins médicaux. Il sera nécessaire d'apporter un appui particulier à chaque cas.

L'apparence générale, soit des épaules, de la poitrine (sauf à l'âge pubertaire), des bras, des mains, de l'abdomen, du bassin, des jambes et des pieds entraînent des réactions particulières, surtout chez l'enfant handicapé, qui requiert un travail intense en vue de l'amener à accepter son handicap ainsi que les réactions provoquées par celui-ci chez les autres.

Il va de soi que l'image sexuelle est un facteur de développement social extrêmement important. Trop souvent, l'enfant qui manifeste des troubles d'apprentissage souffre de castration, d'un sentiment de rejet de la part de son groupe. Il existe d'innombrables textes et méthodes qui traitent de l'éducation sexuelle. Le professeur, même s'il n'est pas tout à fait qualifié dans ce domaine, a le devoir de s'attarder sur ce point, de l'examiner avec attention et, s'il y a lieu, de consulter un spécialiste.

Le sociogramme est une technique qui sert à déterminer quels sont les leaders, les éléments rejetés et les éléments neutres d'un groupe. Il est utile de procéder à un sociogramme au moins 3 fois par an, car les relations d'un groupe d'enfants sont rarement statiques. Le leader n'est pas nécessairement l'enfant le plus populaire, il importe donc d'analyser les caractéristiques qui le définissent.

La popularité doit engendrer la gentillesse et non la crainte, l'ouverture d'esprit et non l'exhibitionnisme. Le leader doit être plus que les autres soumis aux règles, plus altruiste ; il doit avoir une bonne influence sur son entourage et ne doit pas être trop sensible. C'est le médiateur du groupe. L'enfant rejeté est en général agressif et dérange les autres. Il est souvent rejeté à cause de certaines caractéristiques physiques. L'enfant neutre est trop souvent oublié ; il peut avoir des problèmes personnels qui le rendent inhibé ou trop coopératif, c'est un enfant trop gentil ou bien oublié parce qu'il ne dérange pas ; il demande une attention très particulière de la part de l'éducateur. La discrimination joue dans bien des cas un rôle important dans le comportement social. Elle est malheureusement très souvent entretenue par le milieu familial.

Le sociogramme tel qu'il est pratiqué par Moreno et ses disciples est recommandé pour tous les âges, puisqu'il est important que le professeur soit conscient des rejets, des leaders, des éléments neutres de son groupe. L'enfant doit s'épanouir aussi bien seul qu'avec et dans son groupe. Il ne doit pas se sentir intimidé ; il doit avoir confiance en lui-même et pouvoir s'adapter et réagir face à toute situation de groupe. Il faut l'amener à comprendre qu'il est capable de réussir, qu'il est aimé par tous, qu'il a ses droits et que les autres le respectent.

Il sera aussi important pour l'éducateur d'étudier et de prendre conscience des phénomènes raciaux et sociaux spécifiques, tels que les cas d'enfants de couples divorcés, d'enfants adoptés, d'enfants naturels, d'enfants de race noire, jaune ou mixtes, d'enfants de parents immigrés, d'enfants handicapés physiques, etc.

Bref, l'éducateur se penchera avec attention sur tout ce que l'on groupe sous le thème spécifique d'image de soi. Exemple, les humeurs (égales, variables ou gaies); la timidité, l'émotivité exagérée, l'agressivité, la fabulation, la bouderie, la rancune, l'entêtement, les phobies ou peurs exagérées (défauts souvent causés par des problèmes particuliers à l'enfant); les traits de caractère, comme le respect de ses objets et ceux des autres, le goût du travail, seul et avec les autres, la persévérance au jeu ou au travail, l'attitude devant l'échec, l'ordre, l'acceptation des récompenses et des punitions, la serviabilité, la débrouillardise, la coquetterie, l'ambition, la patience, l'activité générale, la rêverie, la flânerie, la régularité, l'attention, le découragement, l'influence des autres sur lui et celle qu'il a sur les autres, les oublis, l'insouciance, la réflexion, les colères, la réaction devant l'imprévu et les changements, la paresse, la lassitude, l'obéissance, l'esprit de contradiction, le goût du risque, le souci de l'exactitude, la serviabilité, l'attitude vis-à-vis des étrangers, la confiance.

À ne pas négliger dans la relation avec l'enfant, serait le phénomène de transfert c'est-à-dire, cet aspect projectif des sentiments, des pensées et des désirs qui se passera entre l'éducateur et l'enfant. Nous aimerions rejoindre ici la pensée analytique, où l'éducateur représentera alors un objet quelconque du passé de l'enfant.

L'enfant revit alors son passé à travers son professeur afin de gratifier ses désirs infantiles par l'intermédiaire du transfert. La plus importante des relations du passé de l'enfant est celle qu'il a établie avec ses parents et alors on le verra accorder au professeur toute sorte de pouvoir magique, de toute puissance comme il le faisait avec ses parents et vivra aussi de la même façon et la soumission et la rébellion.

Le professeur devra donc surveiller toute union intensifiée que l'enfant voudra établir avec lui car celle-ci est plutôt un symptôme de compensation pour une relation défectueuse de la réalité présente.

Réactions positives

L'enfant a progressivement des relations plus significatives avec les autres et il fait avec eux l'expérience d'échanges et de sentiments profonds. Il sait goûter le plaisir autant dans la performance d'habiletés motrices plus complexes que dans les échanges verbaux. L'association d'objets, de personnes et d'événements est la source majeure de toute motivation.

Si l'on considère qu'un « moi » aussi bien structuré qu'il soit a toujours tendance à vaciller d'un extrême à l'autre, il est évident qu'il faut solidifier l'image que l'enfant a pu se créer.

Afin de bien s'entendre avec ses camarades, il est extrêmement important que l'enfant acquière l'estime de soi. Pour cela, il doit se connaître, non pas au sens corporel, mais plutôt dans le sens de savoir s'évaluer en tant qu'être humain, membre d'un groupe d'enfants du même âge que lui. En général, on évalue cette « image de soi » en analysant ses dessins de bonshommes et en observant minutieusement ses réactions actives ou passives. Il faut chercher à définir les principaux éléments de sa personnalité. L'aspect physique conditionne de façon prépondérante l'activité de l'enfant ainsi que ses réactions à l'égard de son entourage. Un caractère actif ne signifie pas nécessairement « hyperactivité » ou « agitation », pas plus qu'un caractère passif ne veut toujours dire « inhibition ». Le caractère est intimement lié à ce qu'on appelle le tempérament. Ce n'est pas toujours une mauvaise image de soi qui rend le caractère négatif.

L'intelligence joue un rôle important dans l'évaluation de soi et des réalités environnantes. Elle permet d'établir un contact plus réel avec les choses et les êtres. Cependant, après certains échecs, elle contribue fortement à diminuer la confiance en soi. Enfin l'histoire personnelle et les relations parentales modifient de façon extraordinaire le comportement de l'enfant et l'image qu'il se fait de lui-même.

— « Qui suis-je ? » Essayer par tous les moyens de faire découvrir à l'enfant les éléments de sa personnalité et les motifs de ses émotions qu'il faut l'encourager à exprimer librement. Ne jamais faire intervenir un autre enfant et ne jamais lui en décrire un autre (pour comparaison).

— Demander à l'enfant de se situer au sein de sa famille, de parler sans contraintes des membres de sa famille et de leurs relations. Il est essentiel que le professeur reste un guide critique mais positif.

— Permettre à l'enfant de manifester ses intérêts, ses besoins, mais aussi de sentir ses limites et de les définir afin d'accepter ses succès comme ses échecs.

— Commencer un album qui porterait le titre : « Qui suis-je ? » Sur la première page, l'enfant s'identifie : son nom, son âge, son sexe, les noms de son père et de sa mère, la profession de son père, celle de sa mère, son adresse, le nombre de pièces dans la maison, etc. (Fig. 7.1)

Centres d'intérêts

— Guider l'enfant dans un travail de recherche individuelle, en prenant pour base ses intérêts. L'enfant devra trouver tout ce

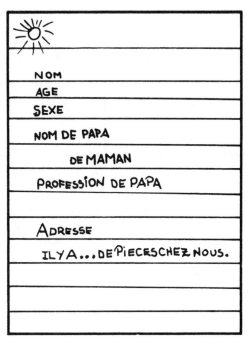

NOM

AGE

SEXE

NOM DE PAPA

DE MAMAN

PROFESSION DE PAPA

ADRESSE

IL Y A ... DE PIECES CHEZ NOUS.

Fig. 7.1

qui se rapporte à l'un de ses centres d'intérêts. Poursuivre cette recherche de 2 à 4 semaines selon l'âge et les exigences. Passer à un deuxième, puis à un troisième centre d'intérêt, etc.

Contrôle de soi

Il faut arriver à maintenir une certaine stabilité chez l'enfant pour éviter qu'il soit bouleversé avec ou sans cause apparente, par exemple quand il est réprimandé ou provoqué (à moins que ce soit outre mesure).

On doit l'encourager à maîtriser son tempérament, son humeur, en lui permettant d'exprimer oralement ses émotions et d'expliquer ses crises de colère, etc.

— Chaque semaine, le professeur choisit une émotion ou un sentiment quelconque dont il étudie les aspects positifs et négatifs et qu'il illustre avec des photos appropriées.

— L'enfant devra exprimer oralement, puis graphiquement cette émotion ou ce sentiment, et chercher des images s'y rapportant que l'on placera bien en vue dans la classe. (Fig. 7.2)

Raconter des histoires qui illustrent des sentiments contraires :

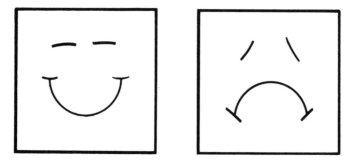

Fig. 7.2

bonheur et tristesse, amour et haine, quiétude et peur, confiance et méfiance, contentement et déception, joie, rage, et analyser l'expression du visage de l'enfant.
— Ne jamais se servir des enfants de la classe pour revivre une situation vécue, sauf dans un jeu de pantomime.

La résistance

Nous aimerions attirer l'attention de l'éducateur sur un facteur très important de l'enfant en difficulté à savoir celui de la « résistance » qui se manifeste en tant qu'ayant un caractère de mécanisme de défense. Nous y reconnaîtrons certains enfants qui se servent beaucoup de leur corps avec une nuance sexuelle de provocation et de séduction ; d'autres qui auront une tendance excessive à collectionner ou encore qui seront trop ordonnés et rangés ; d'autres auront tendance à se dévaloriser et à se plaindre et d'autres au contraire se montreront toujours sûrs d'eux-mêmes et arrogants.

L'indépendance

Le désir de conserver des relations de dépendance vis-à-vis de l'adulte est trop souvent inconsciemment encouragé par certains professeurs. On développera son sens de l'indépendance en prenant bien garde de le placer ou de le maintenir dans une situation d'infériorité ou d'échec. Il s'agit, au contraire, d'encourager l'enfant et de le placer dans des situations où le succès est inévitable.

Cependant, dans la vie, il ne rencontrera pas seulement le succès, il est donc nécessaire de lui proposer des tâches plus difficiles, qui demandent une maîtrise particulière, sans jamais insister au-delà du seuil de la frustration acceptable pour l'enfant. Il y a lieu d'encourager l'initiative personnelle ainsi que l'entraide et les projets de groupe.

L'enfant est naturellement dépendant, et son indépendance demande un certain apprentissage. On pourra utiliser les moyens behavioristes de récompense et de punition.

— Proposer différentes situations dans lesquelles l'enfant devra trouver une solution pour surmonter un obstacle. Exemples : attraper un objet placé très haut. Il faut grimper sur une échelle ou empiler des boîtes ou encore utiliser un long bâton, etc. ; traverser une flaque d'eau. On peut la contourner, la sauter, la passer en marchant sur des pierres ou sur une planche, etc. (Fig. 7.3)

Fig. 7.3

— Enseigner le respect des lois, des règlements en expliquant le point de vue de l'autorité (professeur, parents, le directeur de l'école).

Le sens critique

En général l'enfant n'a pas le sens critique. Un raisonnement peut avoir plusieurs facettes, plusieurs sens, selon le point de vue où l'on se place.

— Amener l'enfant à donner son opinion, à évaluer sa position par rapport à un problème, à des personnes, à des événements.

— Raconter des événements particuliers et aider l'enfant à en évaluer tous les aspects.

— Présenter la photo d'un objet, d'un personnage, d'une scène, à un seul enfant. Décrire sans nommer l'objet, le personnage ou la scène ; les autres enfants doivent deviner ce que représente l'image. La photo circule ensuite, et les enfants tour à tour trouvent les détails qui ont été oubliés.

— Aider l'enfant à accepter la critique des autres, à comprendre qu'il ne peut pas toujours avoir raison ; lui apprendre à contrôler ses réactions émotives dans les discussions. La divergence d'opinion est une réalité que l'enfant doit admettre, et il doit apprendre à rechercher l'exactitude d'un fait. Il faut être bien conscient qu'il ne s'agit pas de brimer la créativité ou l'imagination de l'enfant, mais plutôt de favoriser l'esprit d'observation par une surveillance, un contrôle logique des situations. Rappelons, une fois de plus, qu'il ne faut jamais laisser un enfant être victime du ridicule.

L'expression libre

Encourager l'expression libre ne veut pas dire laisser l'enfant raconter tout ce qui lui passe par la tête. Il est important de laisser l'enfant s'exprimer, tous les jours si possible, c'est ce qu'on appelle une « période de conversation ». Cependant cet exercice doit être convenablement surveillé et structuré, et on ne doit pas permettre à un enfant de s'exprimer plus longtemps qu'un autre ni de dire des sottises simplement pour faire rire ses compagnons.

— Encourager l'imagination des enfants.

— À partir d'une phrase simple, construite par l'enfant, lui faire ajouter petit à petit des éléments qui complètent d'abord la première phrase, puis concevoir d'autres phrases, et enfin former toute une histoire.

— Raconter une histoire sur un sujet déterminé ou à partir d'un texte.
Veiller à ce que la phrase et l'histoire elle-même soient bien structurées.

— *Faire semblant*. L'enfant s'imagine qu'il est un objet, un animal ou une autre personne. Il raconte ce qu'il voit, ce qu'il dit ou ce qu'il fait.

— Dialoguer sur l'attitude à prendre vis-à-vis de la publicité, des panneaux de signalisation, des inscriptions et avis divers.

— Inventer une histoire à partir d'une enseigne, d'une affiche, d'un panneau de signalisation. (Fig. 7.4)

— Inventer une histoire à partir d'une image représentant un métier ou une activité quelconque. Chercher l'enchaînement logique de cette activité ou de ce métier.

— Trouver la morale d'une fable de La Fontaine, en discuter, trouver ses applications dans la vie courante.

— Discussion sur des thèmes variés. Pourquoi va-t-on à l'école? à l'église? pourquoi doit-on payer dans un magasin? etc.

— Raconter la fin d'une histoire que l'enfant connaît déjà. Il devra raconter le début avec tous les détails.

— Jeu de la lampe magique d'Aladin.

— Faire un vœu et en décrire les raisons.

— Décrire ce que l'on veut devenir; ce que l'on aimerait le plus avoir, etc.

— Raconter un voyage que l'on a déjà fait ou que l'on aimerait faire.

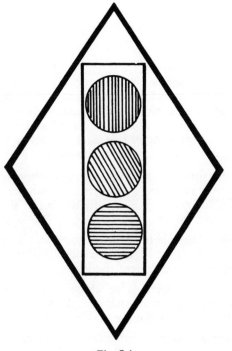

Fig. 7.4

— Dialoguer sur les programmes de télévision et sur les personnages représentés.

— Raconter une histoire ayant pour sujet les différents personnages de la télévision : Robin des Bois, Monsieur Surprise, etc.

— Montrer une scène d'accident ; raconter ce qui est arrivé avant et après.

— Faire comprendre à l'enfant la signification à la fois conceptuelle et morale de certains mots ; par exemple, la guerre, les accidents, etc.

— Jouer à l'acteur de théâtre. (Lorsque les enfants sont très jeunes, le professeur peut guider le dialogue en suggérant un thème précis.)

— Jouer au « bureau de poste », au « bureau de dentiste », à la « cafétéria », à « l'enfant qui est en train d'ouvrir ses cadeaux », etc. (Le professeur peut guider les conversations.)

— Trouver un titre à une image.

— Mimer des mots qui expriment la faim, la soif, les émotions, etc.
Enregistrer au magnétophone ; l'enfant pourra ainsi s'écouter et améliorer l'image qu'il a de lui-même.

Les habitudes

Les habitudes s'acquièrent facilement et presque automatiquement. Elles peuvent avoir un aspect négatif lorsque, par exemple, un enfant est incapable d'accepter le moindre changement dans sa routine sans en être bouleversé, mais elles peuvent aussi être très positives. Les bonnes habitudes comprenant les exigences sociales de base : politesse, respect des lois, des règlements, de l'autorité.

— Choisir des situations simples, comme la pluie qui empêche les récréations d'avoir lieu à l'extérieur, et montrer comme il est facile de s'adapter à une autre situation même si elle bouleverse les habitudes.

— Définir, avec des photos et des histoires, les habitudes sociales et l'importance du rôle des parents, directeurs, professeurs, membres du gouvernement, policiers, etc.

— Procéder à des élections de classe et créer un comité qui établira des règlements propres à la classe. Les enfants apprendront ainsi à donner et à recevoir des ordres.

— Apprendre à remercier oralement et par écrit. Dessiner des cartes de remerciements, d'invitations, d'excuses...

Responsabilité sociale

Amener l'enfant à partager ce qu'il a ou à aider ses camarades qui ont des difficultés ou qui sont plus jeunes.

— Partager les livres, les crayons ou même le repas. Partager une activité avec d'autres (travaux de groupe, créations artistiques en commun). Veiller à la participation de tous.

— Le bien personnel, comme le bien d'autrui, doit être conservé et entretenu avec soin.

— L'honnêteté est une qualité extrêmement complexe. Apprendre à ne pas s'emparer des biens des autres sans permission, à ne pas mentir, à ne pas raconter des histoires insensées. (Il est évident qu'à certains âges l'enfant a tendance à donner libre cours à son imagination et ceci doit être relativement toléré.)

— Apprendre à l'enfant à ne pas agir sans permission, s'il pense qu'il peut, — en agissant ainsi, — nuire aux autres ou à leurs biens, ou enfreindre un règlement.

Vitesse de réaction

C'est un élément extrêmement important, surtout en cas d'urgence. Il ne faut pas que l'enfant prenne l'habitude de répondre seulement quand on s'adresse directement à lui. Développer chez lui l'enthousiasme dans des situations de travail ou de jeux.

L'enfant doit pouvoir exécuter une tâche sans qu'on soit obligé de lui répéter plusieurs fois les directives ou de lui donner le temps dont il dispose pour le faire, etc.

Réagir rapidement sur le plan moteur est une condition préalable de la vitesse de réaction sur le plan intellectuel.

— Donner un ordre à l'enfant, lorsqu'il ne s'y attend pas.

— Le jeu de balle demande de la rapidité de réaction.

— Lancer une serviette mouillée à l'enfant de sorte qu'elle s'écrase dans sa main.

— Laisser tomber d'une hauteur calculée une pierre et une boule de papier ; l'enfant doit les attraper.

— Faire la même chose avec une plume d'oiseau, une feuille de papier, etc.

— Diviser la classe en sous-groupes. Donner un numéro à chaque enfant. Rassembler en un seul groupe tous les enfants et appeler chaque numéro pour reformer les sous-groupes ; appeler les numéros d'abord dans l'ordre, puis sans ordre.

— Donner une série de consignes et chronométrer.

— Poser des questions et demander une réponse précise et rapide. Exemple : que doit-on faire en cas d'accident ?

— Jeux commerciaux tels que « Hands Down », « Beat the Clock »...

Soins personnels

Insister sur la propreté des mains, du visage, des dents, des ongles. L'enfant doit apprendre à être propre (utilisation du cabinet de toilette), à s'habiller sans aide et à vérifier la propreté de ses vêtements, de ses couvre-chaussures, de ses chaussures, etc., ainsi que le bon état de ceux-ci (boutons, fermeture éclair, etc.) et de tous ses accessoires (boucles, cravate, bijoux, montre, etc.).

Expliquer l'importance et le rôle de quelques professions médicales : le dentiste, le médecin (ainsi que tous les spécialistes), l'optométriste, etc.

Le danger

Susciter une prise de conscience des différents dangers du milieu environnant, le danger de traverser les rues, celui que constituent les objets pointus, certains poisons, l'électricité, le gaz (ne pas oublier les médicaments, leurs effets positifs et négatifs), etc.

Montrer les différents moyens de protection que la société emploie. Le rôle de l'autorité policière ou autre.

Communication

Il existe différentes façons de communiquer : les expressions du visage, les gestes, la conversation.

Il y a des moyens visuels et des moyens auditifs : les lettres, les livres (les librairies et les bibliothèques), le télégramme, le téléphone, la radio, la télévision...

L'enfant devra connaître son adresse personnelle, son numéro de téléphone, les mois de l'année, les jours de la semaine afin de pouvoir transmettre des informations en cas de danger.

Anticipation des réactions des autres

Il est important que l'enfant apprenne ce qui peut arriver lorsqu'il n'observe pas les règles du jeu. On peut discuter, à ce propos, des règles de certains jeux, tels que les échecs, etc.

Montrer à l'enfant la façon d'anticiper la réaction des autres, que cette réaction soit positive ou négative ; faire discuter de ses sentiments.

— Montrer des images sur lesquelles on a caché le visage des personnages. L'enfant doit décrire, selon la scène, les réactions des personnages et l'expression que pourrait avoir leur visage. (Fig. 7.5)

— Expliquer les règles de certains jeux comme le jeu d'échecs. Dessiner des plans de villages ou de villes et analyser les conséquences de telle ou telle disposition. (Fig. 7.6)

— Discuter de situations et de problèmes familiaux, des responsabilités de chaque membre de la famille et des conséquences lorsque la responsabilité n'est pas assumée.
On peut à cet effet se servir de marionnettes. (Fig. 7.7)

— Discuter des problèmes communs à la collectivité. Par exemple, la pollution, les causes de la pollution, les conséquences possibles.

— Discuter avec l'enfant des raisons de différents événements scolaires ou familiaux : retards, renvois, etc., des punitions qui ont suivi, et de la valeur de ces punitions.

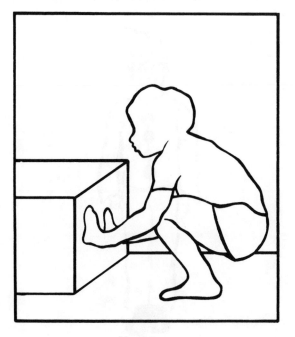

Fig. 7.5

Fig. 7.6

Fig. 7.7

Le jugement des valeurs

- Amener des discussions sur différents sujets :
  - les différences entre les races, les religions ; illustrer avec des images, des photos, etc.
  - la valeur du patriotisme (l'hymne national, les drapeaux). On peut se servir des livres distribués aux louveteaux, aux jeannettes ou aux scouts et aux guides, et qui contiennent des jeux et des chansons appropriés.
  - la valeur culturelle et religieuse des différentes fêtes : la fête du Travail, Noël, etc.
- Demander aux enfants de choisir une activité pour approfondir ces thèmes ; par exemple, trouver un correspondant dans un autre pays (par l'Unesco ou par Suco) ou dans une autre province ou même dans sa province.
  Les échanges entre écoles d'une même ville sont très recommandés.
- Les sorties de groupes : organiser des visites et des sorties avec les enfants dans différentes industries ou dans n'importe quel endroit susceptible d'élargir leurs connaissances.
- Le respect des animaux. Discuter de la vie, du développement et du rôle respectif de chaque animal.

Rôle selon le sexe

L'enfant doit apprendre qu'il aura différents rôles à jouer dans la société et que ceux-ci exigeront de lui des comportements spécifiques. Le rôle le plus important est celui défini par le sexe. Les parents ont déjà (par influence culturelle) amorcé une éducation sexuelle et démontrent souvent un grand empressement à rassurer leur enfant quant à son identité sexuelle en lui achetant des jeux, des vêtements, etc.

Très souvent le rôle de la fille est diminué par rapport à celui du garçon. Le professeur doit définir les différences entre les sexes (leur rôle, leur force, etc.) en prenant ce fait en considération.

- Offrir l'exemple de différents animaux (les cochons d'Inde qui se multiplient très rapidement, les poissons, les oiseaux).
- Observer la vie des plantes (graines, etc.).
  Il existe une variété de films et de livres bien adaptés aux différents âges.

Comportement social

Permettre à l'enfant de manifester son agressivité mais aussi de l'exprimer verbalement.

— Lui donner des ballons de baudruche sur lesquels il pourra satisfaire son besoin d'agressivité.

— Jouer à intervertir les rôles : demander à l'enfant de prendre la place du professeur, celle des parents, des amis, etc.

DÉFINITIONS DE TERMES

Acceptation – Capacité de pouvoir s'intégrer dans un groupe, de coopérer et échanger sans conflit (compétition).

Communication – Habileté à établir une relation quelconque avec des camarades ou des adultes et à la conserver.

Contrôle – Limitation consciente des impulsions, des désirs, des tendances.

Émotion – État affectif ayant pour antécédent immédiat un phénomène psychique (image, idée, souvenir) ; c'est l'expression d'un sentiment.

Groupe – Un nombre d'individus capables d'être considérés comme une unité collective (tout, totalité).

Image de soi – Elle s'apparente plus ou moins au développement du schéma corporel. Cependant autant celui-ci exige la connaissance des capacités motrices de son corps, autant l'image de soi s'adresse à l'intériorisation de ce schéma corporel. L'image de soi, c'est le concept selon lequel le corps est perçu comme étant un objet dans l'espace et la conscience que l'on a de ses structures et de ses fonctions.

Indépendance – Capacité d'agir par soi-même sans l'assistance d'autrui, tout en respectant le groupe.

Intérêt – Attention particulière portée à un objet répondant à un besoin qui dépend de tendances instinctives ou acquises. L'intérêt joue un rôle de motivation.

Jugement – Capacité de savoir ce qu'il convient de faire ou de ne pas faire. La conscience du bien et du mal inhérents à ses actes.

Maturité sociale – Capacité de s'adapter aux conditions et aux exigences d'un groupe ; et comportement de l'individu à l'égard de ce groupe.

Propriété – Acceptation et respect des possessions d'autrui.

Rôle sexuel – Connaissance des exigences sociales spécifiques à chaque sexe.

Sens critique – Capacité de porter un jugement positif ou négatif sur soi-même, sur les autres, sur une situation, sur un objet, sur un événement, etc.

Vitesse de réactions – Capacité d'agir, de répondre rapidement à des consignes précises ou à des situations d'urgence, de faire un choix et d'en prévoir les conséquences (anticipation, prédiction).

SUGGESTIONS DE MATÉRIEL ET DE JEUX

Animaux domestiques et sauvages
Costumes de théâtre
Image avec ou sans représentation de visage (expression faciale)

Jeux de
  clown
  différents métiers ou professions
  soldats
  tic-tac-toe
  d'imitations ou de charades
  du « bureau de poste »
  pour deux joueurs ou plus

Maison miniature avec meubles et personnages

Manuel de scoutisme

Marionnettes

Matériel
  du Dr Axline (*Play Therapy*)
  Montessori

Outils de menuisier

Poupées
  Barbie (pour filles)
  G. I. Joe (pour garçons)
  de différents pays, races, etc.

Téléphone (le) et son utilisation

Théâtre

Voiture de poupée

BIBLIOGRAPHIE

A. En français

ANZIEU, D., *le Psychodrame analytique chez l'enfant*, Paris, PUF, 1956.

BATON, P., *Inadaptés scolaires et enseignement spécial*, Bruxelles, Éditions de l'Institut de sociologie de l'Université libre de Bruxelles, 1962.

BERGE, A., *l'Éducation sexuelle et affective*, Paris, Scarabée, 1960.

————, *l'Écolier difficile ; l'école et les défauts de l'enfant*, Paris, Colin-Bourrelier, 1962 (5ᵉ édition, 1969).

BERNARD, P., *le Développement de la personnalité*, Paris, Masson, 1973.

BERNSON, M., *Du gribouillis au dessin*, Neuchâtel, Delachaux et Niestlé, 1957.

BESSELL, H. et U. PALOMARIS, *Programme de développement affectif et social*, Québec, Institut de développement humain, 1970-1973-1974.

BOUTONNIER, J., *les Dessins d'enfants*, Paris, Scarabée, 1953.

BRACH, J., *les Douze Facteurs du caractère*, Paris, Éd. de l'Arche.

BRACHFELD, O., *les Sentiments d'infériorité*, Genève, Mont-Blanc, 1945.

BRIGIDOW, J. P., *Pédagogie et psychologie des groupes*, Paris, Éditions de l'Épi, 1965.

CAHN, P., *la Relation fraternelle chez l'enfant*, Paris, PUF, 1962.

CAPUL, P., *les Groupes rééducatifs*, Paris, PUF, 1969.

CASABIANCA, R.-M. de, *Sociabilité et loisirs chez l'enfant*, Neuchâtel, Delachaux et Niestlé, 1968.

CHOLETTE-PÉRUSSE, F., *la Sexualité expliquée aux enfants*, Montréal, Éditions du Jour, 1965.

CORMAN, L., *le Nouveau Manuel de morpho-psychologie*, Paris, Stock.

————, *Quinze Leçons de morpho-psychologie*, Paris, Stock, 1953.

COUSINET, R., *Méthode de travail libre par groupe*, Paris, Cerf, 1945.

DEBESSE, J., *Méthodes d'éducation du caractère*, Bulletin de psychologie, 1960.

DECROLY, *l'Agressivité à l'écôle. Santé mentale*, Londres, 1948.

DOLTO, F., *Personnalité et image du corps*, Paris, PUF.

DUFRENNE, M., *la Personnalitê de base*, Paris, PUF, 1953.

DUYCKAERTS, F., *la Formation du lien sexuel*, Paris, Dessart.

ERIKSON, E., *Enfance et société*, Neuchâtel, Delachaux et Niestlé, 1966.

FAU, R., *les Groupes d'enfants et d'adolescents*, Paris, PUF, 1963.

FRAISSE, P. et J. PIAGET, *Psychologie expérimentale*, t. V : *Motivation, émotion et personnalité*, Paris, PUF, 1963.

GESELL, A., F. ILG et L. B. AMES, *l'Enfant de 5 à 10 ans*, Paris, PUF, 1959.

GINOTT, H. G., *les Relations entre les parents et les enfants*, Paris, Casterman.

————, *Relations parents-enfants*, Verviers, Gérard, « Marabout », 1971.

————, *Relations parents-adolescents*, Verviers, Gérard, « Marabout », 1972.

GEISSMANN, P. et DURAND de BOUSINGEN, *les Méthodes de relaxation*, Paris, Dessart, 1972.

HURTIG, M.-C. et R. ZAZZO, *la Mesure de développement psycho-social*, Neuchâtel, Delachaux et Niestlé, 1967.

KLEIN, M., *l'Amour et la haine*, Paris, Payot, 1968.

KRAMER, C., *la Frustration*, Neuchâtel, Delachaux et Niestlé, 1967.

LEBOVICI, S., *les Tics chez l'enfant*, Paris, PUF, 1952.

LE MOAL, P., *Enfant excité et déprimé*, Paris, PUF, 1953.

LEVY-SHOEN, A., *l'Image d'autrui chez l'enfant*, Paris, PUF, 1964.

LEZINE, I., *Psycho-pédagogie du premier âge*, Paris, PUF, 1964.

LUGUET, G.-H., *le Dessin enfantin*, Paris, Alcan, 1927.

MAUCO, G., *l'Inadaptation scolaire et sociale et ses remèdes*, Paris, Colin-Bourrelier, 1967.

MEDICE, A., *l'École et l'enfant*, Paris, PUF, 1955.

MEILI, R., *le Développement du caractère chez l'enfant*, Paris, Dessart, 1972.

MONCHAUX, M.-C., *la Vérité sur les bébés*, Montréal, Fides, 1970.

MORENO, J.-L., *les Fondements de la sociométrie*, Paris, PUF, 1954.

MORY, F., *Enseignement individuel et travail de groupe*, Paris, Colin-Bourrelier, 1946.

NIELSEN, R. F., *le Développement de la sociabilité chez l'enfant*, Neuchâtel, Delachaux et Niestlé, 1951.

NORTHWAY, M., *Sociométrie scolaire à l'usage de tous les enseignants*, Paris, Édition universitaire, 1964.

OSTERRIETH, P. A., *Introduction à la psychologie de l'enfant*, Paris, Dessart, « Psychologie et Sciences humaines », 1960.

PIAGET, J., *le Jugement moral chez l'enfant*, Paris, PUF, 1957.

————, *la Formation du symbole chez l'enfant*, Neuchâtel, Delachaux et Niestlé, 1964.

PORRET, R., *En scène les gars*, (saynettes), Neuchâtel, Delachaux et Niestlé.

PRUD'HOMMEAU, M., *le Dessin chez l'enfant*, Paris, PUF, 1947.

RAMBERT, M., *la Vie affective et morale de l'enfant*, Neuchâtel, Delachaux et Niestlé, 1959.

REDL, F. et WINEMAN, *l'Enfant agressif*, Paris, Fleurus, 1964. (2 vol.).

REY, A., *Études des insuffisances psychologiques*, Neuchâtel, Delachaux et Niestlé, 1962.

REYMOND-RIVIER, B., *Choix sociométriques et motivations*, Neuchâtel, Delachaux et Niestlé, 1961.

_____, *le Développement social de l'enfant et de l'adolescent*, Paris, Dessart, 1965.

ROCHEBLAVE-SPENLÉ, A.-M., *la Notion de rôle en psychologie sociale*, Paris, PUF, 1962.

SPITZ, R., *le Non et le oui: la Genèse de la communication humaine*, Paris, PUF, 1962.

STERN, A., *Compréhension de l'art enfantin*, Neuchâtel, Delachaux et Niestlé, 1959.

THOMAS, M., « Méthodes des histoires à compléter », *Archives de psychologie*.

WALLON, H., *l'Évolution psychologique de l'enfant*, Paris, A. Colin, 1950.

WIDLOCHER, D., *Psychodrame chez les enfants*, Paris, PUF.

B. En anglais

BANDURA, A., *Social Learning and Personality Development*, New York, Holt Rinehart & Wilson, 1963.

BECKER, WESLEY *et al., Reducing Behavior Problems*, Montréal, Quebec Association for Children with Learning Disabilities.

DOLL, F. A., *The Measurement of Social Competence*, St. Paul (Minn.), Educational Test Bureau, 1953.

ERIKSON, E., *Insight and responsibility*, New York, Norton, 1964.

ESTRANS, Frank et Elizabeth, *The Child's World: his Social Perception*, New-York, Putnams Sons, 1959.

FISCHER et CLEVELAND, *Personality and Body Image*, New York, Van Nostrand, 1958.

HELLMUTH, J., *Educational Therapy*, Seattle, Special Child Publication, 1966, vol. 1.

HUNT, E. B., *Concept Learning*, New York, John Wiley & Sons, 1962.

LURIA, A. R., *The Role of Speech in Regulation of Normal and Abnormal Behavior*, Elmsford (N. Y.), Pergamon Press, 1961.

MONTAGU, A., *Helping Children Develop Moral Values*, Chicago, Science Research Associates.

OSGOOD, C. F., *Motivational Dynamics of Language Behavior*, Nebraska Press, 1957.

SCHILDER, P., *The Image and Appearance of the Human Body*, New York, International Publishers Co., 1950.

BIBLIOGRAPHIE

Ouvrages généraux

A. En français

AJURIAGUERRA, J. de et H. HECAEN, *les Gauchers*, Paris, PUF, 1963.

_____, *le Cortex cérébral*, 2ᵉ éd., Paris, Masson, 1965.

ANDREY, B., « la Dyslexie », *Cahiers de l'enfance inadaptée*, Paris, 1961.

AVANZINI, Guy, *l'Échec scolaire*, Paris, Éditions universitaires, « Pour mieux vivre », nᵒ 8, 1967.

BATON, Pierre, *Inadaptés scolaires et enseignement spécial*, Bruxelles, Institut sociologique de Bruxelles, 1970.

BELEY, André, *l'Enfant instable*, Paris, PUF, 1951.

BENOS, J., *l'Enfance inadaptée*, Paris, Maloine, 1972.

CAMUSAT, Pierre, *Mauvais Élèves et pourtant doués*, Paris, Néret, 1967.

CARLEVARO, Gianfranco, *les Troubles de la vie chez l'écolier*, Paris, Édition sociale française, 1960.

CARMICHAEL, M., *Manuel de psychologie de l'enfant*, Paris, PUF, 1952.

CORRELL, Werner, *Troubles de l'apprentissage*, Sherbrooke, Éditions Paulines, 1967.

COUCHARD, P., *le Cerveau de la conscience*, Paris, Seuil, 1961.

COUSINET, Roger, *Pédagogie de l'apprentissage*, Paris, PUF, 1957.

DEBRAY-RITZEN, P., *la Dyslexie de l'enfant*, Paris, Casterman, 1970.

DIEL, Paul, *Principes de l'éducation et de la rééducation*, Neuchâtel, Delachaux et Niestlé, 1964.

FRAISSE, P. et J. PIAGET, *Traité de psychologie expérimentale*, t. IV : *Apprentissage et mémoire*, Paris, PUF, 1963. T. VII : *L'intelligence*, Paris, PUF, 1969.

GESELL, A., F. ILG et L. B. AMES, *l'Enfant dans la civilisation moderne*, Paris, PUF, 1959.

——————, *l'Enfant de 5 à 10 ans*, Paris, PUF, 1960.

GILOMARI-BOULINIER, A., *Guide des premiers pas scolaires*, Neuchâtel, Delachaux et Niestlé, 1965.

KOCHER, Francis, *La rééducation des dyslexiques*, Paris, PUF, 1962.

MINISTÈRE DE LA SANTÉ ET DU BIEN-ÊTRE SOCIAL, Commission sur les troubles et l'affectivité de l'apprentissage, *Un million d'enfants* (rapport Celdic), Ottawa, Imprimeur de la reine, 1970.

PERDONCINI, G. et Y. YVON, *Précis de psychologie et de rééducation infantile*, Paris, Flammarion, 1963.

PIAGET, Jean, *le Langage et la pensée chez l'enfant*, Neuchâtel, Delachaux et Niestlé, 1968.

——————, *le Développement de la notion de temps chez l'enfant*, Paris, PUF, 1946.

RASSEKH, Mhery, *l'Enfant-problème et sa rééducation*, Neuchâtel, Delachaux et Niestlé, 1962.

REY, André, *Études des insuffisances psychologiques*, Neuchâtel, Delachaux et Niestlé, 1962.

ROBIN, Gilbert, *les Difficultés scolaires chez l'enfant*, Paris, PUF, 1957.

ROBAYE, Francine, *l'Enfant au cerveau blessé*, Bruxelles, Dessart, 1969.

TOMATIS, M., *la Dyslexie*, Sèvres, Secrap, 1967.

WALLON, H., *l'Enfant turbulent*, Paris, Alcan, 1925.

ZAZZO, R., J. de AJURIAGUERRA, S. BOREL-MAISONNY, N. GALIFRET-GRANJON, M. STAMBACK, J. SIMON et C. CHASSAGNY, *l'Apprentissage de la lecture et ses troubles, les dyslexies d'évolution*, Paris, PUF, 1951.

B. En anglais

BELCAU, F. A., *Handbook of Developmental Activities*, Montréal, Quebec Association for Children with Learning Disabilities, 1967.

CRUICHSHANK, W. *et al.*, *A Teaching Method for Brain Injured & Hyperactive Children (listening games)*, Syracuse, Syracuse University Press, 1961.

EDGINGTON, Ruth, *Helping Children with Learning Disabilities*, Montréal, Quebec Association for Children with Learning Disabilities, 1968.

ELLINGTON, Careth, *The Shadow Children*, New York, Taplinger Publishing Co., 1967.

FERNALD, Grace M., *Remedial Techniques in Basic School Subjects*, New York, McGraw-Hill, 1943.

FROSTIG, M. et P. MASLOW, *Learning Problems in the Classroom*, New York, Grune & Stratton, 1973.

GETMAN, C. N. et E. KANE, *The Physiology of Readiness*, Chicago, Lyons & Carnahan.

JOHNSON, Doris et H. MYKLEBUST, *Learning Disabilities Educational Principles and Practices*, New York, Grune & Stratton, 1968.

HELLMUT, Jerome, *Learning Disabilities*, Seattle, Special Child Publication, vol. 1.

KEPHART, Newell, *The Slow Learner in the Classroom*, Columbus, Charles E. Merril, 1960.

KEPHART, N. et C. HARVEY, *Motoric Aids to Perceptual*, Columbus, Charles E. Merril, 1969.

KIRK, Samual A., *Educating Exceptional Children*, Boston, Houghton Mifflin Co., 1962.

MAHLER, D., *Introduction to Programs for Educationally Handicapped Pupils*, California Association for Neurologically Handicapped.

MECHAM, Merlin J., *Communication Training in Childhood Brain Damage*, Springfield, Charles Thomas, 1966.

MYERS, P. et D. HAMMILL, *Methods for Learning Disorders*, New York, John Wiley & Sons, 1969.

MYKLEBUST, Helmer, *Progress in Learning Disabilities*, New York, Grune & Stratton, 1967, 2 vol.

SCAGLIOTTA, Edward G., *Initial Learning Assessment*, Academic Therapy Publications California.

TARNOPOL, L., *Learning Disabilities*, Springfield, Charles C. Thomas, 1971.

VALETT, Robert E., *The Remediation of Learning Disabilities*, Belmont, Fearon Publishers, 1967.

VAN WITSEN, Betty, *Perceptual Training Activities*, New York, Teachers College Press, 1967.

ANNEXES

PROFIL DE LA CLASSE

MOTRICITÉ GLOBALE

Cote (niveau par rapport à la classe):
Noircir les cases suivant l'acquisition ou l'intégration de la notion

B = bon
M = moyen
F = faible

Nom de l'élève		Posture	Force musculaire	Image du corps	Identité	Schéma spatial	Déplacement	Rouler	S'asseoir	Ramper	Marcher	Courir	Sauter	
	B													
	M													
	F													
	B													
	M													
	F													
	B													
	M													
	F													
	B													
	M													
	F													
	B													
	M													
	F													
	B													
	M													
	F													
	B													
	M													
	F													
	B													
	M													
	F													
	B													
	M													
	F													
	B													
	M													
	F													
	B													
	M													
	F													

PROFIL DE LA CLASSE

INTÉGRATION SENSORI-MOTRICE

Cote (niveau par rapport à la classe):
Noircir les causes suivant l'acquisition ou l'intégration de la notion

B = bon
M = moyen
F = faible

Nom de l'élève		Schéma corporel	Latéralité	Anatomie	Tête et cou	Tronc	Jambes	Équilibre	Organisation spatiale	Vitesse de réaction	Temps	Éducation sensorielle	Tremplin	
	B													
	M													
	F													
	B													
	M													
	F													
	B													
	M													
	F													
	B													
	M													
	F													
	B													
	M													
	F													
	B													
	M													
	F													
	B													
	M													
	F													
	B													
	M													
	F													
	B													
	M													
	F													
	B													
	M													
	F													
	B													
	M													
	F													
	B													
	M													
	F													

PROFIL DE LA CLASSE

HABILETÉS PERCEPTIVO-MOTRICES VISUELLES

Cote (niveau par rapport à la classe):
Noircir les cases suivant l'acquisition ou l'intégration de la notion

B = bon
M = moyen
F = faible

Nom de l'élève		Acuité visuelle	Perception	Forme	Exploration	Couleur	Image	Orientation spatiale	Discrimination symbolique	Orientation des lettres	Figure-fond	Perspective et dimension	Mémoire visuelle	
	B													
	M													
	F													
	B													
	M													
	F													
	B													
	M													
	F													
	B													
	M													
	F													
	B													
	M													
	F													
	B													
	M													
	F													
	B													
	M													
	F													
	B													
	M													
	F													
	B													
	M													
	F													
	B													
	M													
	F													
	B													
	M													
	F													
	B													
	M													
	F													
	B													
	M													
	F													

PROFIL DE LA CLASSE

HABILETÉS PERCEPTIVO-MOTRICES AUDITIVES

Cote (niveau par rapport à la classe):
Noircir les cases suivant l'acquisition ou l'intégration de la notion

B = bon
M = moyen
F = faible

Nom de l'élève		Acuité auditive	Discrimination	Décodage	Origine	Différenciation	Situation	Tonalité	Longueur	Hauteur	Intensité	Mémoire auditive	Son dans mot et phrase	
	B													
	M													
	F													
	B													
	M													
	F													
	B													
	M													
	F													
	B													
	M													
	F													
	B													
	M													
	F													
	B													
	M													
	F													
	B													
	M													
	F													
	B													
	M													
	F													
	B													
	M													
	F													
	B													
	M													
	F													
	B													
	M													
	F													
	B													
	M													
	F													
	B													
	M													
	F													

PROFIL DE LA CLASSE

HABILETÉS CONCEPTUELLES

Cote (niveau par rapport à la classe):
Noircir les cases suivant l'acquisition ou l'intégration de la notion

B = bon
M = moyen
F = faible

Nom de l'élève		Concept	Associations qualitatives	Conservation	Grandeur	Comparaison	Modification	Mesure	Poids	Temps	L'horloge	Calendrier	Raisonnement mathématique	
	B													
	M													
	F													
	B													
	M													
	F													
	B													
	M													
	F													
	B													
	M													
	F													
	B													
	M													
	F													
	B													
	M													
	F													
	B													
	M													
	F													
	B													
	M													
	F													
	B													
	M													
	F													
	B													
	M													
	F													
	B													
	M													
	F													

PROFIL DE LA CLASSE

DÉVELOPPEMENT DU LANGAGE

Cote (niveau par rapport à la classe):

Noircir les cases suivant l'acquisition ou l'intégration de la notion

B = bon
M = moyen
F = faible

Nom de l'élève		Écouter	Expression	Connaissance du langage	Articulation	Structuration	Message symbolique	Similitudes	Synonymes Antonymes	Compréhension auditive	Lecture	Discrimination des mots	Intérêt	
	B													
	M													
	F													
	B													
	M													
	F													
	B													
	M													
	F													
	B													
	M													
	F													
	B													
	M													
	F													
	B													
	M													
	F													
	B													
	M													
	F													
	B													
	M													
	F													
	B													
	M													
	F													
	B													
	M													
	F													
	B													
	M													
	F													

PROFIL DE LA CLASSE

SOCIALISATION

Cote (niveau par rapport à la classe):
Noircir les cases suivant l'acquisition ou l'intégration de la notion

B = bon
M = moyen
F = faible

Nom de l'élève		Image de soi	Réactions positives	Contrôle de soi	Indépendance	Sens critique	Habitudes	Responsabilité	Vitesse de réaction	Communication	Anticipation	Jugement des valeurs	Comportement social	
	B													
	M													
	F													
	B													
	M													
	F													
	B													
	M													
	F													
	B													
	M													
	F													
	B													
	M													
	F													
	B													
	M													
	F													
	B													
	M													
	F													
	B													
	M													
	F													
	B													
	M													
	F													
	B													
	M													
	F													
	B													
	M													
	F													
	B													
	M													
	F													

FICHE D'OBSERVATIONS SPÉCIFIQUES INDIVIDUELLES OU DU GROUPE

Date _ _ _ _ _ _ _ _ _ _ _ _ _ _

Professeur ———————————— Nom ————————————

0	1	2	3	4	5	6	7	8	9	10	
											MOTRICITÉ GLOBALE
											INTÉGRATION SENSORI-MOTRICE
											HABILETÉS PERCEPTIVO-MOTRICES VISUELLES
											HABILETÉS PERCEPTIVO-MOTRICES AUDITIVES
											HABILETÉS CONCEPTUELLES
											DÉVELOPPEMENT DU LANGAGE
											SOCIALISATION

Remarques, notes et recommandations

————————————————
signé

FICHE D'OBSERVATIONS GÉNÉRALES DE PROGRÈS INDIVIDUEL OU DU GROUPE

Date _____

Professeur _____   Classe _____

_____

MOTRICITÉ GLOBALE

_____

INTÉGRATION SENSORIO-MOTRICE

_____

HABILETÉS PERCEPTIVO-MOTRICES VISUELLES

_____

HABILETÉS PERCEPTIVO-MOTRICES AUDITIVES

_____

HABILETÉS CONCEPTUELLES

_____

DÉVELOPPEMENT DU LANGAGE

_____

SOCIALISATION

_____

Remarques, notes et recommandations

_____
signé

LISTE ALPHABÉTIQUE DE JEUX POPULAIRES SUGGÉRÉS
POUR FINS DE RÉÉDUCATION SPÉCIFIQUE OU GÉNÉRALE

ANTS IN PANTS
Coordination œil-main — motricité fine — structuration spatio-temporelle
BANG BOX
Exercices des muscles — contrôle de l'hyperactif
BATTLESHIP
Vistesse de réaction
BEAT THE CLOCK
Vitesse des réactions
Compréhension de consignes complexes
BILLES
Notions de « plus ou moins » (concept de base)
BOTTLE AND JUG CUTTING
Coordination — manipulation fine
CAISSE ENREGISTREUSE
Mathématique
CANDLE MAKER
Coordination et raffinement de la préhension (motricité fine)
DON'T BREAK THE ICE
Coordination œil-main — exercices des muscles de la main
DRESSY BESSY
Boutonner, lacer, etc.
Schéma corporel
ÉCHASSE
Équilibre
ÉQUIPEMENT MORSE
Perception auditive
FEELY-MEELY
Éducation sensorielle — perception des formes
HANDS DOWN
Vitesse des réactions — coordination œil-main
HOCKEY
Rapidité des réactions — coordination œil-main
JEU DE LABYRINTHE
Coordination — association — habiletés visuo-motrices
JEU DE SACS DE SABLE
Coordination — habiletés motrices fines
JEUX DE CARTES
Associations formes, couleurs
JEUX DE QUILLES
Coordination — visée
JUMELLES
Perception des réalités de l'environnement
KEY HOUSE FARM
Associations de formes, couleurs, animaux
LAMPES DE POCHE
Promenade oculaire

LIVRES DE DÉCOUPAGE
  Objets — poupées
MACHINE À ÉCRIRE
  Orthographe — motricité fine — coordination
MARIONNETTES (*Sesame Street* et autres)
  Langage — socialisation — expression
MECANO & LEGO
  Coordination fine — associations logiques
MICROSCOPE
  Perception des réalités de l'environnement
MODEL SCALE KITS
  Coordination fine, logique
NATURES WINDOW
  Observation du développement et de la poussée de graines
OPÉRATION
  Schéma corporel — coordination œil-main — préhension (motricité fine)
PAINT BY NUMBER
  Association — coordination fine
POGO STICK
  Équilibre — motricité globale
QUICK SHOOT
  Vitesse de réaction
RING TOSS
  Coordination — habiletés motrices fines
SLINKY
  Motricité fine — coordination des mouvements
SPACE HOPPER BALL
  Motricité globale — organisation spatiale
SPIROGRAPHE
  Préhension, créativité
TAMBOUR
  Association auditive — décodage — rythme
TARGET TOSS
  Coordination — habiletés motrices fines
TÉLESCOPE
  Perception des réalités de l'environnement
TOSS ACROSS
  Habiletés conceptuelles
TWISTER
  Latéralité — équilibre — schéma corporel
WALKIE TALKIE
  Langage
XYLOPHONE
  Association auditive — rythme

INDEX DES HABILETÉS ET CONCEPTS
JEUX SUGGÉRÉS

— *Association*
Jeu de labyrinthe
Paint by number

— *Association auditive — rythme*
Tambour
Xylophone

— *Association des formes, couleurs, animaux*
Jeux de cartes
Key House Farm

— *Associations logiques*
Mecano et Lego

— *Boutonner, lacer, etc.*
Dressy Bessy

— *Compréhension de consignes complexes*
Beat the clock

— *Contrôle de l'hyperactif*
Bang Box

— *Coordination — association — habiletés visuo-motrices*
Jeu de labyrinthe

— *Coordination des mouvements*
Slinky

— *Coordination fine, logique*
Machine à écrire
Mecano et Lego
Model scale kits
Paint by number

— *Coordination œil-main — Exercices des muscles de la main*
Ants in pants
Don't break the ice
Hands down
Hockey
Opération

— *Coordination et raffinement de la préhension (motricité fine)*
Ants in pants
Bottle and jug cutting
Candle Maker
Jeu de sacs de sable
Ring Toss
Target Toss

— *Coordination — visée*
Jeux de quilles

— *Créativité*
Spirographe

— *Décodage — rythme*
Tambour

— *Éducation sensorielle*
Feely-Meely

— *Équilibre — motricité globale*
Échasse
Pogo stick
Twister

— *Exercices des muscles*
Bang Box
Don't break the ice

— *Expression*
Marionnettes

— *Habiletés conceptuelles*
Toss across

— *Habiletés motrices fines*
Ants in pants
Candle Maker
Jeu de sacs de sable
Machine à écrire
Opération
Ring Toss
Slinky
Target Toss

— *Habiletés visuo-motrices*
Jeu de labyrinthe
Jeux de quilles (visée)
Lampes de poche (promenade oculaire)

— *Langage*
Marionnettes
Walkie talkie

— *Latéralité*
Twister

— *Manipulation fine*
Bottle and jug cutting

— *Mathématique*
Billes
Caisse enregistreuse

— *Motricité fine (voir habiletés motrices fines)*

— *Motricité globale*
Échasse
Pogo stick
Space Hopper Ball

— *Observation*
Natures window

— *Organisation spatiale*
Space Hopper Ball

— *Orthographe*
Machine à écrire

— *Perception auditive*
Équipement morse

— *Perception des formes*
Feely-Meely

— *Perception des réalités de l'environnement*
Jumelles
Microscope
Télescope

— *Préhension*
Candle Maker
Opération

— *Rapidité des réactions*
Hands down
Beat the clock
Hockey
Battleship
Quick shoot

— *Rythme*
Tambour
Xylophone

— *Schéma corporel*
Dressy Bessy
Opération
Twister

— *Socialisation*
Marionnettes

TABLE DES MATIÈRES

Achevé d'imprimer
le 21 novembre 1983, sur les presses
des ateliers Marquis Limitée
Montmagny, Québec